Chères lectrices,

Noël. Ce seul mot suffit à nous replonger dans le monde de notre enfance. Il nous rappelle ces moments magiques où nous attentions, émues et impatientes, qu'on nous autorise à nous rendre au pied du sapin pour y trouver les cadeaux que le père Noël y avait laissés pour nous. Les mains tremblantes d'excitation, nous déchirions le papier cadeau pour découvrir la poupée de nos rêves.

Bien sûr, nous ne rêvons plus de poupées aujourd'hui, mais nous nous réjouissons de voir le visage radieux des enfants qui nous entourent lorsqu'ils déballent leurs cadeaux au matin de Noël. Et puis, ces journées particulières ne sont-elles pas le moment idéal pour rêver d'amour ? Car en contemplant les rues illuminées, les magasins aux vitrines décorées, les gens qui s'y pressent pour trouver ce qui fera plaisir à ceux qu'ils aiment, on se dit que si Noël est vraiment une saison féerique et lumineuse, c'est bel et bien grâce à l'amour.

Excellente lecture !

La responsable de collection

Mensonge par amour

AMANDA BROWNING

Mensonge par amour

COLLECTION AZUR

*éditions*Harlequin

Cet ouvrage a été publié en langue anglaise sous le titre :
THE LAWYER'S CONTRACT MARRIAGE

Traduction française de
CAROLINE JUGNET

83-85, boulevard Vincent-Auriol, 75013 PARIS — Tél. : 01 42 16 63 63
Service Lectrices — Tél. : 01 45 82 47 47
ISBN 2-280-20546-7 — ISSN 0993-4448

1.

Jamais Sam Lombardi n'avait goûté un bonheur aussi parfait. Alors que pointaient les premières lueurs de l'aurore, elle savourait le commencement d'une magnifique journée dans les bras de l'homme qu'elle aimait, Ransom Shaw. Et comme toujours quand elle pensait à lui, elle éprouvait un sentiment de bien-être absolu. Un sourire radieux aux lèvres, elle poussa un soupir de satisfaction, puis se blottit tout contre lui. Elle posa ensuite la tête sur son torse puissant et se laissa enivrer par l'odeur chaude de sa peau.

Même avec la meilleure volonté du monde, elle ne parvenait pas à lui trouver la plus petite imperfection. Ses yeux gris argent, mis en valeur par un teint bronzé et une épaisse chevelure noire bouclée donnaient à son visage un charme viril et magnétique. Sam songea en le regardant que la barbe de quelques heures qui ombrait sa mâchoire le rendait encore plus séduisant.

Soudain, l'envie la saisit de le sortir du sommeil par des baisers et de tendres caresses, qui les amèneraient ensuite à des ébats passionnés. Mais la raison l'emporta et elle décida que Ransom avait besoin de dormir. Après tout, il travaillait comme un forcené. Associé dans un prestigieux cabinet d'avocats, il était déterminé à se mettre bientôt à son compte. Et quand il voulait quelque chose, Sam le savait, Ransom réussissait généralement à l'obtenir.

Elle se remémora leur première rencontre. Il l'avait contactée comme traductrice pour un dossier dont il s'occupait. Dès le premier regard, ils s'étaient sentis attirés l'un vers l'autre, comme si une onde de désir avait électrisé chaque fibre de leur être. Jamais Sam n'avait ressenti une attirance aussi impérieuse.

En l'espace de quelques jours, ils étaient devenus amants, et pour la première fois de sa vie, Sam s'était donnée corps et âme, transportée par un amour absolu.

Les jours s'étaient transformés en semaines, puis les semaines en mois, et leurs liens n'avaient cessé de se consolider. Plus le temps passait, plus il leur paraissait évident qu'ils étaient faits l'un pour l'autre, que rien ni personne ne pourrait jamais les séparer...

Sam sentit la poitrine de Ransom se soulever sous l'effet d'une profonde inspiration. Lorsqu'elle leva la tête, elle vit qu'il la regardait. Il lui sourit tendrement et effleura sa peau d'une caresse aérienne.

Elle s'allongea sur lui.

— Bonjour ! J'espère que je ne t'ai pas réveillé, dit-elle avec une tendresse qui répondait à la sienne.

Le sourire de Ransom se fit plus ensorceleur.

— Ça ne me déplaît pas, dit-il.

Sam sentit soudain contre son ventre la force du désir de Ransom. Elle rit doucement et lui couvrit le torse de baisers.

— Tu ne devrais pas jouer à ça, murmura-t-elle. Il faut que tu dormes.

Ransom l'enlaça. L'instant d'après, elle se retrouva sous lui.

— Ce dont j'ai besoin, c'est de toi, dit-il d'une voix rauque.

Il ne souriait plus. Ses yeux la transperçaient et la faisaient chavirer.

— Je suis fou de toi, Samantha...

Il approcha ses lèvres des siennes. Saisie par l'intensité de son désir, Sam s'abandonna à son étreinte passionnée...

*
* *

Après s'être douchés et habillés, ils prirent leur petit déjeuner. Sam fit griller une tranche de pain qu'elle beurra amoureusement pour Ransom, puis elle se prépara une tartine de confiture.

— Est-ce que tu plaides aujourd'hui ? lui demanda-t-elle avec l'espoir qu'il trouve dans son emploi du temps surchargé un moment pour déjeuner avec elle.

Il hocha la tête.

— On clôture les débats. La journée risque d'être longue. Et toi, qu'est-ce que tu as de prévu ?

Sam travaillait pour une société qui mettait à la disposition de ses clients un panel de traducteurs et d'interprètes. Elle parlait couramment six langues et était donc souvent sollicitée.

— Je vais repasser chez moi et appeler le bureau pour connaître le programme du jour.

Elle voulait aussi se changer et relever le courrier.

Le petit déjeuner terminé, Ransom enfila sa veste noire à fines rayures blanches.

— On dîne ensemble ? demanda-t-il.

Sam secoua la tête et poussa un soupir.

— J'ai bien peur que non. Je passe la soirée chez mes parents.

Depuis qu'elle avait emménagé dans son propre appartement, elle avait pris l'habitude de retrouver régulièrement les siens autour de la table familiale. Mais en cet instant, elle aurait donné cher pour que ce rituel appartienne au passé.

— Et quand vais-je avoir le plaisir de rencontrer ta famille ? s'enquit Ransom.

Ces derniers temps, il lui avait souvent posé cette question, et Sam ne savait pas trop quoi répondre.

— Bientôt, répondit-elle.

Pour le moment, elle désirait garder sa relation avec Ransom secrète. Elle n'avait jamais invité d'homme à la maison. Le jour où elle se déciderait, toute sa famille serait en émoi, et elle n'avait pas du tout envie que Ransom fasse les frais de leur curiosité.

Il fronça les sourcils.

— Est-ce que tu as honte de moi ?

— Non, bien sûr que non ! s'écria-t-elle. C'est juste que je n'ai pas envie de te partager, pas encore.

Elle l'imaginait déjà mitraillé de questions, sommé de donner mille et un détails. Il n'avait aucune chance de sortir indemne d'une telle épreuve sans une sérieuse préparation !

Il lui sourit avec douceur.

— D'accord, mais n'oublie pas qu'il faudra bien que je les rencontre un jour.

Soulagée, Sam s'approcha de lui et glissa tendrement les bras autour de son cou.

— Un jour, oui. Mais en attendant… on n'est pas si mal rien que tous les deux, non ?

Il posa les mains sur sa taille et l'attira tout contre lui.

— Deux, c'est un bon chiffre. Oublie ce que j'ai dit. Tu sais, je suis parfois un peu vieux jeu.

Et il emprisonna ses lèvres dans un baiser voluptueux.

Lorsqu'il la libéra pour aller chercher son attaché-case, Sam poussa un soupir résigné.

Puis, elle repensa à ce qu'il venait de lui dire et elle sentit une douce chaleur l'envahir. Somme toute, une seule raison pouvait pousser un homme qui se prétendait « vieux jeu » à vouloir rencontrer les parents de la femme qu'il fréquentait : montrer que ses intentions étaient honorables. Son rêve le plus cher n'était-il pas d'épouser Ransom et de passer le reste de sa vie avec lui ? Finalement, elle se déciderait peut-être bientôt à le présenter à ses parents…

— A quoi penses-tu ? la taquina Ransom.

Cette question la tira brusquement de ses rêveries et le rouge lui monta aux joues.

Elle pouvait difficilement lui avouer que son imagination venait de s'enflammer à l'éventualité d'une demande en mariage.

— Oh ! Je me disais juste que tu embrasses sacrément bien ! lui répondit-elle avec légèreté, tout en rassemblant quelques affaires dans le minuscule sac à main qu'elle avait apporté la veille au soir.

Elle vit une lueur s'allumer dans les yeux gris de Ransom.

— C'est seulement quand tu embrasses la bonne personne que c'est aussi agréable, dit-il.

— Tiens donc ! Et tu t'es beaucoup entraîné pour arriver à cette conclusion ? rétorqua-t-elle avant d'éclater d'un rire espiègle.

— Me voilà démasqué ! D'accord, je confesse qu'il m'est souvent arrivé d'embrasser la mauvaise personne. Tu es contente maintenant ?

Elle rit aux éclats, submergée par une vague de bonheur.

— Ravie, comme d'habitude. Au cas où tu ne l'aurais pas remarqué, j'arbore en permanence un sourire extatique ces temps-ci. Les gens ne vont pas tarder à penser que je suis folle.

— Dis-leur simplement que tu es folle de moi et tout sera clair.

Tandis qu'ils quittaient l'appartement, Sam songea à quel point il avait raison…

La journée fila à toute allure.

Après que Ransom l'eut déposée chez elle, Sam changea de vêtements, s'informa par téléphone de ses rendez-vous du jour, puis prit sa voiture pour aller travailler.

A partir de là, elle fut si occupée qu'elle perdit toute notion du temps. Lorsqu'elle jeta un coup d'œil à sa montre, elle réprima un sursaut : elle avait intérêt à se dépêcher si elle ne voulait pas être en retard pour le dîner…

*
* *

A l'instant même où elle franchit le seuil de la maison familiale, Sam sut que quelque chose n'allait pas. D'ordinaire, la salle à manger résonnait de rires et d'éclats de voix tandis qu'on s'échangeait autour de la grande table les dernières nouvelles. Mais cette fois-ci, elle n'entendait qu'un murmure provenant du salon. Pour une réunion de famille, c'était totalement inhabituel.

— Où sont les autres ? demanda-t-elle en entrant.

Ses sœurs se mirent aussitôt à sangloter et elle vit le visage de son frère Tom s'assombrir.

— Que se passe-t-il ? ajouta Sam en laissant tomber ses affaires sur la chaise la plus proche.

Tom prit la parole :

— On attendait que tu sois là. Papa et maman sont dans la cuisine. Ils te raconteront tout.

Sam fronça les sourcils.

— Pourquoi faites-vous autant de mystère ? Où est Tony ? ajouta-t-elle, remarquant soudain son absence.

— Va voir les parents, Sam. C'est à eux de t'expliquer, insista Tom.

L'estomac noué, la jeune femme se dirigea vers la cuisine. Ses parents étaient assis à la table. Sa mère avait visiblement pleuré et tentait de passer son angoisse sur un mouchoir en papier qu'elle réduisait en lambeaux. Son père, lui, semblait plus tranquille, mais son teint était blafard. Ils la regardèrent avancer vers eux sans un mot, l'air absent. Sam comprit alors qu'ils étaient en état de choc.

— Qu'est-ce qu'il y a ? Qu'est-ce qui ne va pas ? demanda-t-elle, la gorge serrée.

Cachée derrière son mouchoir, sa mère étouffa un sanglot. Puis elle se leva et marcha jusqu'à l'évier dont elle agrippa le bord avec tant de force que ses articulations blanchirent. Le cœur battant à tout rompre, Sam promena autour d'elle un regard apeuré, implorant une réponse.

— Assieds-toi, Sam. Nous avons un problème, un problème très sérieux, annonça son père d'une voix éteinte.

Elle s'installa en face de lui et posa la main sur la sienne.

— Quel problème ? Tony a fait une bêtise ?

Tony se mettait toujours dans des situations impossibles. A lui seul, il avait causé à ses parents plus de soucis que ses frères et sœurs réunis.

Sa mère étouffa un gémissement angoissé et son père prit une profonde inspiration avant de lui répondre :

— Ton frère a été surpris en flagrant délit de vol.

Sam eut l'impression que son cœur s'arrêtait de battre.

— Qu'a-t-il dérobé ? demanda-t-elle avec appréhension, même si la réponse lui paraissait évidente.

Tony était un joueur invétéré, et malchanceux de surcroît. Comme s'il lisait dans ses pensées, son père hocha la tête.

— De l'argent. Une grosse somme d'argent.

— Peut-on proposer un dédommagement ? s'enquit-elle aussitôt.

Tony n'en était pas à son coup d'essai, mais ils avaient jusqu'alors toujours réussi à s'arranger à l'amiable avec les victimes.

— Si seulement c'était possible ! s'écria son père. Mais il s'agit cette fois d'une somme énorme. Même en vendant la maison et notre entreprise, nous serions loin du compte. Mon Dieu, comment allons-nous nous en sortir ? Je sais ce qui va se passer : Tony ira en prison, le scandale nous ruinera et tuera ta mère !

— C'est donc sans espoir ? demanda Sam, horrifiée de voir son père si désemparé. A qui a-t-il volé cet argent ?

Sa mère lâcha l'évier et pivota sur ses talons pour leur faire face.

— Ne lui dis rien !

Sam battit des cils et jeta des regards affolés à ses parents.

— Pourquoi me cachez-vous quelque chose ?

— Parce que je sais ce que tu vas vouloir faire, mais c'est hors de question ! Tu ne dois pas te sacrifier pour Tony ! s'écria sa mère d'un ton rageur.

Sam sentit son sang se glacer.

— A qui a-t-il volé l'argent, papa ? insista-t-elle d'une voix tendue. Autant me le dire tout de suite, je finirai de toute façon par l'apprendre.

Ses parents échangèrent un regard plein d'impuissance.

— Aux Grimaldi.

Sam s'efforca de ne pas céder à la panique. Seigneur, il avait osé s'attaquer à l'une des plus grosses fortunes du pays, les Grimaldi ! C'était pourtant eux qui avaient aidé son père à créer son entreprise et accepté, à sa demande, d'employer Tony dans leur commerce d'import-export de vins. Mais ça n'avait pas empêché cet idiot de les voler pour éponger ses dettes ! Cette fois, il avait vraiment dépassé les bornes !

Une bouffée de colère monta soudain en elle, et elle se leva d'un bond.

— Où se cache Tony ? Je vais le tuer ! s'écria-t-elle.

Son père l'attrapa par la main pour la retenir.

— Assieds-toi, Sam. Il est chez les Grimaldi.

Elle cligna des yeux.

— Que fait-il là-bas ? Est-ce qu'ils ont appelé la police ?

Son père mit un moment avant de lui répondre, comme s'il voulait choisir chacun de ses mots. Quand il se décida enfin à parler, ce fut d'une voix tremblante :

— Pas encore..., dit-il les yeux rivés sur ses poings serrés. Leno Grimaldi veut bien fermer les yeux sur cette histoire... si... si tu acceptes de l'épouser.

Au moment où il prononçait le mot « épouser », il leva la tête et affronta le regard de sa fille.

Sous le choc, Sam retomba sur sa chaise. Leno Grimaldi voulait l'épouser… Elle plissa les yeux et tenta de se souvenir à quoi il ressemblait. Un peu plus âgé que son père, veuf, il lui faisait la cour depuis qu'elle avait atteint sa majorité. Si elle appréciait sa galanterie, elle n'avait jamais éprouvé la moindre attirance pour lui et avait veillé à le maintenir à distance, rejetant systématiquement ses invitations à déjeuner et ses propositions de sorties. Cependant, à cause de la stupidité de son frère, le vieil homme se trouvait désormais en position de force…

Une détresse infinie s'empara de Sam. Pour préserver les siens du scandale, elle n'avait d'autre choix que de tirer un trait sur Ransom, le seul homme qu'elle ait jamais aimé… Mais comment concevoir un seul instant de continuer sans lui ? Comment accepter de balayer d'un revers de la main ses rêves et ses espoirs ?

— Bien sûr, insista sa mère ; les yeux pleins de larmes, sois certaine que nous n'attendons pas de toi que tu acceptes la proposition de Leno.

Le père de Sam prit sa femme dans ses bras pour la réconforter.

— C'est vrai, renchérit-il. Nous ne t'aurions d'ailleurs rien dit s'il n'avait pas autant insisté pour que nous te soumettions sa proposition. Il existe certainement un autre moyen de nous en sortir.

— Quel autre moyen ? répliqua Sam avec un calme de façade. Si vous vendez la maison et l'entreprise, les banques refuseront de vous prêter de l'argent et vous serez incapables de payer le reste de la somme.

Elle pinça les lèvres.

— Que deviendra Tony si j'accepte l'offre de Leno ? ajouta-t-elle.

— Il partira vivre en Australie chez mon cousin, annonça son père d'une voix lasse. Son élevage de moutons se trouve loin de toute tentation, assez en tout cas pour nous laisser un espoir que ton frère retrouve le droit chemin.

— Ça lui sera plus profitable que la prison, approuva Sam. Combien de temps Leno me laisse-t-il ?

— Jusqu'à demain soir, même heure. Mais tu ne peux pas accepter. Nous te l'interdisons formellement, martela son père.

Sam se raidit.

— Merci de vous inquiéter pour moi, mais cette décision m'appartient.

Elle se leva et serra ses parents dans ses bras.

— Je vous aime. Ne vous faites pas de souci, dit-elle en leur adressant un sourire destiné à masquer sa propre détresse. Maintenant, je ferais mieux d'y aller. Je vous appelle demain.

— Ne prends aucune décision précipitée ! l'implora sa mère.

— Je te le promets, répondit Sam pour la tranquilliser.

Puis, elle se dirigea de nouveau vers le salon. Les regards interrogateurs de son frère et de ses sœurs ne la quittèrent pas tandis qu'elle rassemblait ses affaires.

— Ne vous inquiétez pas pour Tony, nous sommes en train de régler le problème, déclara-t-elle quand elle eut fini.

— Que se passe-t-il, Sam ? demanda Tom tout en se levant pour lui faire face.

— Il a recommencé à jouer. Mais comme je viens de vous le dire, nous sommes sur le point de trouver une solution. Je pars tout de suite m'occuper des détails, précisa-t-elle en s'efforçant de rester impassible devant leurs visages anxieux. Occupez-vous de papa et maman. Ils ont besoin de votre soutien.

Elle refusa d'en dire plus et gagna rapidement la porte d'entrée, suivie par Tom.

— Tu vas bien ? demanda-t-il avec inquiétude.

Sam dut inspirer profondément avant de pouvoir lui répondre.

— Oui. C'est juste que je suis très en colère contre Tony. Maintenant, je dois vraiment y aller.

Sentant le regard de son frère rivé sur elle, Sam regagna à la hâte sa voiture garée dans l'allée et démarra aussitôt. Mais après avoir roulé quelques minutes, elle se gara sur le bas-côté, terrassée par l'ampleur de la catastrophe. Que pouvait-elle faire ? Jamais elle ne s'était sentie aussi vulnérable. Elle avait la nausée à l'idée d'abandonner Ransom. Cependant, elle ne se sentait pas capable d'abandonner sa famille. Ses parents s'étaient si souvent privés pour offrir à leurs enfants une vie heureuse !

Les yeux brûlants, elle s'efforçait de retenir ses larmes. Bien sûr, elle pouvait expliquer à Ransom ce qui s'était passé, mais pourrait-il lui pardonner d'agir ainsi ? Elle doutait que cela soit possible…

Elle secoua la tête. Pour l'heure, elle devait se concentrer sur ce qu'elle avait à faire.

Après avoir inspiré profondément, à plusieurs reprises, elle parvint à recouvrer un semblant de calme. Pour l'instant, elle ne voyait qu'une chose à faire : s'armer de courage, et, en dépit de l'heure avancée, se rendre chez Leno Grimaldi.

Sam sonna à la porte.

— Sam, quelle joie de te voir ! s'exclama Leno en ouvrant la porte. Ne reste pas dehors, je t'en prie. Ton frère est dans le salon. Entre.

Elle pénétra dans une pièce somptueusement décorée. En voyant sa sœur, Tony se leva d'un bond, l'air pâle et inquiet.

— Salut ! lança-t-il d'un ton faussement enjoué.

Sam lui jeta un regard glacial.

— Veux-tu boire quelque chose ? proposa Leno Grimaldi.

Elle lui fit signe que non. Elle craignait d'autant plus les effets de l'alcool que son estomac était vide.

— Je préfère garder la tête froide, dit-elle.

Leno Grimaldi esquissa un sourire.

— C'est toujours préférable quand on parle affaires, approuva-t-il.

Il lui fit signe de s'asseoir.

— De quoi parlez-vous ? s'enquit Tony, le regard allant de l'un à l'autre.

— Ta sœur est venue discuter de ton avenir, lui expliqua Leno. Ainsi que du nôtre.

Tony ouvrit la bouche pour poser une autre question, mais Sam le coupa :

— Pour une fois dans ta vie, contente-toi de te taire ! Tu en as déjà assez fait, dit-elle d'un ton cinglant.

Puis elle se tourna vers Leno.

— Pardon pour mon franc-parler, mais je crois qu'il est inutile de tourner autour du pot. Est-il exact que Tony n'ira pas en prison si nous nous marions ? demanda-t-elle d'un ton froid.

Tout en grimaçant légèrement, Leno fit un signe affirmatif de la tête.

— Ce sera mon cadeau de mariage, précisa-t-il. Qu'en dis-tu ?

Sam le regarda attentivement. Elle le trouvait plutôt bien conservé pour son âge, et ses bonnes manières jouaient en sa faveur. Toutefois, elle n'oubliait pas qu'il profitait sans scrupule de la crise que traversait sa famille. Mais par amour des siens, songea-t-elle, elle aurait pu épouser le diable en personne…

— D'accord, dit-elle d'un ton neutre, alors que le sang battait furieusement contre ses tempes.

— Non, Sam ! Pas ça ! s'écria Tony, qui semblait soudain prendre conscience de la gravité de la situation.

Elle scruta pendant quelques secondes le visage épouvanté de son frère.

— C'est trop tard, lui dit-elle froidement. Mais ne t'imagine surtout pas que je le fais pour toi. Papa et maman, eux, ne méritent pas de souffrir ainsi.

Leno se leva.

— L'argent sera remis en place demain matin, et nous n'évoquerons plus jamais cette histoire. Cependant, j'ai quelques papiers à te faire signer, Sam, ajouta-t-il en se dirigeant vers un bureau en acajou, sur lequel il prit une liasse de documents.

— Des papiers ? demanda Sam avec étonnement.

Leno lui sourit d'un air bienveillant.

— De simples documents à signer pour certifier que tu t'engages à garder le secret absolu sur cette histoire. J'exige la même discrétion de la part de tes parents et de ton frère. Si l'un d'entre vous ne respecte pas notre accord, vous devrez vous acquitter de l'intégralité de la dette.

En silence, Sam se maudit elle-même. Et dire qu'elle n'avait même pas envisagé cette possibilité ! Après tout, Leno était un homme d'affaires : il n'était guère surprenant qu'il exige des garanties. Quant aux conséquences de cet accord... Il ne fallait pas qu'elle pense à Ransom, surtout pas. De toute façon, elle avait donné sa parole.

Avec le sentiment d'une impuissance totale, Sam parapha donc les documents. Puis, elle regarda Tony les signer à son tour.

— Il ne manque plus que les signatures de tes parents, et tout sera fini, ma très chère Sam.

Leno prit la main de la jeune femme et la porta délicatement à ses lèvres avant de déclarer :

— Tu fais de moi un homme comblé et je jure de tout faire pour te rendre heureuse.

Sam ferma les yeux. Seigneur ! Elle sentait qu'elle ne pourrait plus en supporter davantage. Elle percevait maintenant avec une terrible acuité l'ampleur du gâchis qui s'annonçait. La gorge nouée, elle lutta pour chasser de son esprit toute pensée négative, se raccrochant à l'idée qu'elle venait de sauver sa famille.

— Je te promets de faire de mon mieux pour être une bonne épouse, Leno, parvint-elle à articuler. Mais j'ai une faveur à te demander. Je voudrais que notre mariage soit célébré le plus vite possible.

Maintenant qu'elle s'était engagée, elle ne souhaitait pas avoir trop de temps pour réfléchir.

Leno sourit et emprisonna ses mains entre les siennes.

— Je vais m'occuper dès demain des préparatifs. Une fois mariés, nous passerons une longue lune de miel en Italie. Je te montrerai l'endroit où j'ai grandi. Tu verras, la vie là-bas te plaira.

L'Italie ou ailleurs, Sam s'en moquait. Comment aurait-il pu en être autrement ? Elle allait perdre ce à quoi elle tenait le plus au monde. Alors quelle importance avait le reste ?

A présent, elle ne pensait plus qu'à partir d'ici. Mais comment était-elle censée dire au revoir à son futur mari ? Elle n'en avait aucune idée.

A sa grande surprise, Leno lui-même vint à sa rescousse.

— Je suis sûr que tu souhaites raccompagner ton frère à la maison et raconter à tes parents ce que nous nous sommes dit ce soir. Nous dînerons ensemble samedi pour parler de nos projets, ma chère Sam, dit-il d'un ton affable tout en les raccompagnant jusqu'à la porte. Ah, j'oubliais ! Fais savoir à ton père que je l'appellerai demain. Bonne nuit !

Il se pencha ensuite pour l'embrasser sur les deux joues. Sam fut soulagée qu'il fasse preuve de retenue : elle ne se sentait guère la force de supporter un baiser sur la bouche.

— Bonne nuit, se contenta-t-elle de répondre.

Puis, elle agrippa Tony par le bras et le poussa vers sa voiture.

Pendant tout le trajet, ils restèrent parfaitement silencieux. Mais au moment où ils arrivaient devant la maison, Tony prit la parole :

— Pardonne-moi, Sam, supplia-t-il d'une voix implorante. J'avais perdu beaucoup d'argent et je ne savais pas quoi faire…

Sam se sentit plus agacée qu'attendrie par son air piteux et ses explications larmoyantes.

— Cette fois, tu as eu de la chance, mais ça ne se reproduira pas. Le jeu, c'est fini ! Et si tu n'arrives pas à décrocher tout seul, alors adresse-toi à un spécialiste !

— Je le ferai. Je te le jure, Sam.

Il posa la main sur la poignée de la portière.

— Tu viens ? demanda-t-il.

Sam secoua la tête.

— Pas maintenant. Explique ce qui s'est passé chez Leno à papa et maman. Je les appellerai demain.

Tony sortit de la voiture, puis fit volte-face et se pencha pour la regarder.

— Oh, mon Dieu, Sam, j'ai fichu ta vie en l'air…

Malgré la souffrance intolérable qui lui déchirait le cœur, Sam réussit à lui faire un signe de la tête. Ses yeux étaient remplis de larmes.

— A quoi bon te lamenter ? dit-elle avec amertume. Va vite rassurer nos parents et souviens-toi : pas un mot aux autres.

— Je ne te laisserai pas tomber, je te le promets, dit-il avant de s'éloigner.

Une fois seule, Sam garda les yeux clos pendant un moment. Puis, elle mit le contact et démarra.

Quand elle arriva enfin à son studio, tard dans la nuit, Sam était épuisée. Elle n'avait rien mangé depuis le déjeuner, mais elle se sentait incapable d'avaler quoi que ce soit. La seule vision de ses affaires jetées par terre à la hâte, le matin même, après sa nuit chez Ransom, lui donnait la nausée. Elle était tellement sûre, alors, que l'avenir lui appartenait, qu'elle serait à lui pour toujours…

Elle s'assit dans son canapé et posa une main tremblante sur son cœur. Ransom… La douleur ne cessait de la brûler au plus profond d'elle-même. Peut-être qu'entendre sa voix l'apaiserait…

Elle déglutit péniblement avant de composer son numéro d'une main tremblante. Quand il décrocha après plusieurs sonneries, elle sentit les larmes l'aveugler.

— Salut ! Je t'ai réveillé ? demanda-t-elle d'une voix douce.

— Tout va bien ? s'enquit aussitôt Ransom.

Une boule d'angoisse serra la gorge de Sam. Elle mobilisa toutes ses forces pour parvenir à lui répondre :

— Je voulais juste entendre le son de ta voix. J'en avais tellement besoin. Comment s'est passée ta journée ?

— Le jury n'a pas encore statué. Nous espérons que le verdict sera rendu demain. Et le dîner avec ta famille ? demanda Ransom en étouffant un bâillement.

— Bruyant, comme d'habitude. J'aurais préféré passer la soirée avec toi, se contenta-t-elle de dire.

Si seulement, pensa-t-elle, elle avait décliné leur invitation…

— J'adore les repas animés, dit Ransom. La prochaine fois, je t'accompagne.

Une larme coula le long de la joue de Sam.

— Ce sera avec plaisir, balbutia-t-elle.

Mais elle savait qu'il n'y aurait pas de prochaine fois…

— Mon Dieu, comme j'aimerais que tu sois avec moi en ce moment. Sans toi, ce lit me paraît bien trop grand, soupira-t-il.

Sam posa la main sur sa bouche pour étouffer un sanglot.

— On a toute la vie pour être ensemble, murmura-t-elle quand elle fut capable de contrôler sa voix.

Elle eut aussitôt honte de son mensonge. Mais que pouvait-elle dire ?

— Tu as raison, mais tu dois quand même te faire pardonner. Que dirais-tu de déjeuner avec moi demain ? Il est hors de question que je passe la journée sans te voir, insista-t-il.

— Très bien. Dis-moi simplement où et à quelle heure, s'entendit-elle répondre.

Elle essaya de se rassurer : ce déjeuner serait son dernier moment de bonheur avec Ransom. Avant de rompre avec lui, elle avait besoin de faire le plein de souvenirs…

Il lui indiqua un restaurant proche du palais de justice. Puis, comme il laissait de nouveau échapper un bâillement, Sam décida qu'il était temps de clore la conversation.

— Je te laisse te rendormir.

— Je suis content que tu aies appelé. Bonne nuit, Sam.

— Bonne nuit, Ransom, murmura-t-elle.

Elle garda le combiné tout contre son oreille jusqu'au bip final signalant qu'il avait raccroché.

Alors, serrant le téléphone contre sa poitrine, Sam laissa enfin couler ses larmes. Elles inondèrent son visage, charriant avec elles un torrent de souffrances et de rêves anéantis. Elle était seule, désespérée, avec pour toute perspective un avenir sombre et glacé.

2.

Une fois arrivée au restaurant, Sam s'installa à une petite table donnant sur la rue et attendit Ransom. Au bout de quelques minutes, elle consulta sa montre et songea qu'il avait dû être retenu par des délibérés plus longs que prévus. Etrangement, elle ne ressentait aucune appréhension avant ce déjeuner. Elle flottait au contraire dans une douce torpeur, à mille lieues des tourments et des pleurs de la nuit.

Poussant un soupir, elle appuya son menton sur ses mains croisées et regarda d'un air absent par la fenêtre. Toute la nuit, elle s'était demandé comment rompre avec Ransom. Tout d'abord, elle avait envisagé de lui annoncer simplement qu'elle ne souhaitait plus le voir. Elle avait toutefois très vite abandonné cette idée, certaine qu'il exigerait des explications. Après des heures passées à chercher en vain une solution, elle avait fini par trouver au petit matin la réponse à sa question : elle devait lui donner une excellente raison de la haïr afin qu'il décide lui-même de la rayer de sa vie pour toujours.

Soudain, Sam sursauta en sentant une main se poser sur son épaule. Tournant aussitôt la tête, elle vit, le cœur battant, le visage souriant de Ransom. Sans lui laisser le temps de prononcer un seul mot, il se pencha pour déposer un tendre baiser sur ses lèvres.

— Tu paraissais à des années-lumière. A quoi pensais-tu ?

demanda-t-il en s'asseyant en face d'elle et en lui prenant amoureusement la main.

Sam haussa les épaules.

— Oh, à rien de spécial.

Il afficha alors un air faussement contrarié qui la fit sourire. Sourire... Elle n'aurait pourtant pas pensé que cela lui était encore possible.

— Tu es vraiment certaine que tu ne pensais pas à moi ? demanda-t-il d'un air malicieux.

— Disons que si c'était le cas, je ne te le dirais pas. Je n'ai pas envie que tu deviennes prétentieux.

Un sourire taquin éclaira le visage de Ransom.

— J'en conclus que tu me trouves parfait tel que je suis. Merci, sache que je partage ton opinion !

Il se tut un instant et contempla le visage de Sam avec tendresse.

— Tu es si belle, Samantha ! C'est incroyable ce que tu peux être belle !

Sam laissa échapper un petit rire. Malgré elle, elle se sentait grisée par ses paroles.

— Tu n'as pas l'impression d'exagérer un peu ?

Elle se trouvait tout à fait ordinaire. Des filles comme elle, blondes aux yeux bleus, on en croisait à tous les coins de rue...

— Pour moi, il n'existe pas sur terre de femme plus magnifique que toi, déclara-t-il avec ferveur.

— Tu dis ça parce que tu espères quelque chose de moi, le taquina-t-elle.

Il libéra sa main en riant et attrapa le menu.

— Je dois avouer que je nourris quelques projets en ce qui te concerne.

— Ah, oui ? répliqua-t-elle. Il faudra que je vérifie dans mon agenda si je suis disponible.

Elle sentit aussitôt sa gorge se nouer.

— Oh, mais tu le seras, lui assura-t-il.

Les yeux embués de larmes, Sam se dissimula derrière son menu. Plus Ransom affichait sa confiance en l'avenir, plus son cœur à elle se serrait. Avant de venir, elle avait envisagé de faire de ce déjeuner leur repas d'adieu, mais si elle mettait son plan à exécution maintenant, elle risquait de craquer et de tout faire échouer.

Le flot confus de ses pensées fut interrompu par la voix de Ransom.

— Je pensais à quelque chose... Il me reste des jours de congé à prendre et ce doit être la même chose pour toi. Alors, que dirais-tu de partir une semaine en vacances ? On irait sur la côte et je t'initierais aux joies de la navigation.

— J'ignorais que tu faisais de la voile, répondit-elle avec surprise.

Ransom lui adressa un sourire chaleureux.

— Tu ne connais pas encore tout de moi. Si j'en crois ma mère, j'ai su naviguer avant même de savoir marcher. Je voudrais acheter un grand voilier et faire le tour du monde avec toi. Ça te plairait ?

Mon dieu ! pensa Sam, elle aurait donné cher pour que ce rêve merveilleux se réalise...

— C'est très tentant, répondit-elle, mais on devrait se contenter d'abord d'une semaine, histoire de voir si j'ai le pied marin.

— Très bien, déclara-t-il joyeusement avant de se remettre à consulter le menu. Tu prends quoi ?

Sam s'efforça de se concentrer sur la carte.

— Une salade de pâtes, décida-t-elle.

Il lui fallait quelque chose de léger, qu'elle avalerait sans trop de difficulté.

— Hmm... J'aime aussi beaucoup les pâtes. Je vais...

Il fut coupé par le signal de son beeper.

— Zut ! s'exclama-t-il à voix basse.

Il sortit l'appareil de la poche de sa veste et le consulta, l'air dépité.

— Désolé, ma chérie, je dois m'en aller, expliqua-t-il en se levant de table. Ça vient de Ian. Je suppose que les délibérés reprennent. Mais ce soir, on dîne ensemble. Rendez-vous chez moi à 8 heures. Et ne sois pas en retard !

Puis, il effleura ses lèvres d'un baiser et se dirigea à grands pas vers la sortie.

Une fois Ransom parti, Sam s'enfonça dans son siège, en proie à un profond sentiment de culpabilité. Comment avait-elle pu l'écouter faire des projets pour un avenir qu'ils ne partageraient pas ? Elle avait agi de manière criminelle en le laissant se bercer d'illusions ! Ce soir, elle n'aurait plus le droit de reculer. Elle devrait trouver la force de lui parler. Cette perspective acheva de lui couper l'appétit et, après avoir laissé un pourboire sur la table, elle quitta à son tour le restaurant.

Le soir venu, Sam se rendit chez Ransom. Le matin même, ses parents avaient tenté de la faire revenir sur sa décision d'épouser Leno, mais elle avait campé sur ses positions. Et quand elle les avait contactés dans l'après-midi, ils avaient déjà signé l'accord et préparé le départ de Tony pour l'Australie.

A présent, tout reposait sur ses épaules.

Lorsqu'elle frappa à la porte, il s'écoula un long moment avant que Ransom ne vienne lui ouvrir. Dès qu'elle le vit, elle en comprit la raison et ne put s'empêcher de sourire : il était occupé à donner la touche finale au dîner qu'il avait lui-même préparé. Sous le feu de l'action, quelques mèches indisciplinées tombaient sur son front, ajoutant encore à son charme.

Ransom la contempla à son tour et elle vit une petite flamme scintiller dans ses yeux. Il semblait apprécier la tenue qu'elle avait choisie ce soir : un petit haut en dentelle bleu saphir, assorti à ses yeux, et un pantalon de soirée noir. Elle avait jugé important de se sentir à l'aise pour ce qu'elle avait à lui dire.

— Je vais te dévorer toute crue, déclara-t-il en fermant la porte d'une main et en l'attirant contre lui de l'autre.

Il la serra dans ses bras et l'embrassa avec passion.

Au grand désespoir de Sam, elle ne put s'empêcher de répondre à ce baiser, puis à ceux qui suivirent. A mesure que leurs langues se mêlaient, le désir montait et elle sentait fondre ses résolutions. Au prix d'un immense effort de volonté, elle parvint cependant à s'arracher à son étreinte.

— Le dîner nous attend et je ne figure pas au menu, dit-elle dans un souffle.

Il posa les mains sur ses épaules et lui adressa un petit sourire déçu.

— Comment peux-tu penser à manger dans un moment pareil ?

Sam regarda en direction de la cuisine, le nez froncé.

— Tu devrais en faire autant. Ça commence à sentir le brûlé.

Ransom se précipita.

— Tout va bien, annonça-t-il quelques secondes plus tard. C'est juste un peu roussi sur les bords. De toute façon, tu es la seule responsable. Tu me fais perdre la tête !

Restée dans le salon, Sam observa la table qu'il avait dressée pour le dîner. Son choix s'était porté sur un service de fine porcelaine, des couverts en argent et des verres en cristal taillé. Sur la nappe en tissu damassé, il avait disposé des chandeliers et, dans un vase, deux roses en bouton. La décoration raffinée laissait penser qu'il tenait à célébrer un événement particulier.

— Que fête-t-on ? lança-t-elle.

Puis elle eut une illumination.

— Mais bien sûr ! s'exclama-t-elle. Tu as gagné le procès !

Ransom revint dans le salon, un saladier à la main. Il le posa sur la table.

— Cela fait en effet partie des choses à fêter ce soir. Allume les bougies, s'il te plaît ! lui demanda-t-il avant de s'éclipser de nouveau dans la cuisine.

Sam obtempéra. Le succès de Ransom méritait bien d'être célébré. Tout de suite après, elle s'acquitterait de la pénible tâche qui allait changer à tout jamais le cours de leurs vies...

Ransom ouvrit une bouteille de chardonnay, et ils trinquèrent à sa réussite avant de passer à table. Puis, le temps fila à une vitesse folle... Alors qu'ils dégustaient leurs cafés, Sam remarqua soudain avec une certaine gêne que Ransom la contemplait d'un air émerveillé.

— Epouse-moi ! dit-il brusquement.

Elle fut parcourue d'un frisson.

— Quoi ? demanda-t-elle d'une voix blanche, pensant qu'elle avait dû mal comprendre.

Il esquissa un sourire amusé mais son regard n'avait jamais été aussi intense.

— J'ai dit « épouse-moi ». Sam, je te demande de devenir ma femme.

Elle se sentit vaciller comme si elle venait de recevoir un coup à l'estomac. Elle avait donc bien entendu ! Bien sûr, elle mourait d'envie de lui dire « oui » et de passer le reste de sa vie avec lui. Mais elle n'en avait pas le droit...

Sam frémit en réalisant avec horreur que Ransom venait de lui offrir l'occasion idéale de détruire une fois pour toutes leur relation. Sachant qu'une seconde d'hésitation lui serait fatale, elle se força à éclater d'un rire sonore.

— C'est une plaisanterie, n'est-ce pas ?

Sans attendre de réponse, elle poussa un soupir de soulagement.

— Oh, mon Dieu. Je t'ai presque cru.

Il semblait abasourdi, et elle en profita pour enchaîner :

— Le mariage, ça n'est pas pour demain. Je veux rester libre comme l'air.

Pour se donner une contenance, elle prit un *grissini* qu'elle se força à grignoter. Mais sa gorge était si serrée qu'elle n'arrivait pas à déglutir.

Ransom finit par reprendre ses esprits, assez en tout cas pour réagir.

— De quoi parles-tu ? demanda-t-il d'une voix étrangement neutre.

— Je ne suis pas prête à m'engager dans une relation sérieuse, voilà tout, poursuivit-elle, le cœur battant à tout rompre.

— Arrête ! Ce n'est pas le moment de me mener en bateau ! lui intima-t-il d'un ton tranchant. Je t'aime, Sam, et je sais que tu m'aimes aussi.

A l'instant même où il prononçait ces mots, elle vit le doute s'insinuer dans l'esprit de Ransom.

— Ou alors je me suis trompé sur toute la ligne et tu jouais la comédie ? demanda-t-il.

— Non, bien sûr que je t'aime. Tu es un très bel homme et tu me fais l'amour comme personne, mais…

Elle posa la main sur sa bouche, comme si elle venait tout juste de remarquer son expression horrifiée.

— Oh, Seigneur, ne me dis pas que tu parlais sérieusement !

Il garda son calme mais les muscles de son visage se contractèrent.

— Que se passe-t-il, Sam ?

Elle éprouva un chagrin immense en voyant ses yeux s'emplir de douleur et d'incompréhension.

— Rien, je te le jure. Mais je crois que nous nous sommes mal compris. Ce qui m'intéresse, c'est de m'amuser, de prendre du bon temps…

— Prendre du bon temps ? se contenta-t-il de répéter avec incrédulité.

Elle se força à lui adresser un petit sourire complice.

— Oui. Dîner ensemble, aller au théâtre, faire l'amour…

Il secoua la tête.

— Je n'en crois pas un mot, Sam. Ça ne correspond pas à ce que je connais de toi.

Elle lui jeta un regard désapprobateur.

— Tu aurais voulu de moi si tu l'avais su ? Je suis désolée de te décevoir, mais si tu souhaites te marier, tu ferais mieux de chercher quelqu'un d'autre.

Elle se leva, les jambes tremblantes, et alla prendre sa veste suspendue au portemanteau. Elle la serra contre elle comme pour se protéger. Le visage de Ransom était devenu glacial.

— Il vaut mieux que je parte, maintenant.

Sam marqua un temps d'arrêt avant de se diriger vers la porte d'entrée. Elle se sentait écartelée entre une envie irrépressible de courir vers Ransom pour lui demander de la pardonner, et la certitude que seule la haine pourrait permettre à l'homme qu'elle aimait de l'oublier un jour.

— Salut ! A un de ces jours peut-être ! lança-t-elle avant de franchir le seuil de la porte.

Aussitôt, les maigres remparts qu'elle avait tant bien que mal érigés s'écroulèrent comme un château de cartes et elle fut submergée par une douleur aussi dévastatrice qu'un raz-de-marée. Pendant de longues minutes, elle resta immobile, tétanisée par une souffrance infinie.

Puis, de peur que Ransom ne s'aperçoive de sa présence sur le perron, elle se força à descendre les marches et parvint à regagner sa voiture en titubant.

Tout au long du trajet qui la ramenait à son appartement, elle lutta pour contenir les larmes qui l'aveuglaient, évitant par miracle l'accident. Mais une fois chez elle, elle abandonna le combat et pleura jusque tard dans la nuit. Anéantie, le cœur broyé, elle finit par s'endormir à l'aube d'un sommeil agité.

*
* *

Sam fut brutalement réveillée par des coups de sonnette insistants à sa porte. Peu disposée à écouter les boniments d'un représentant, elle se leva en se préparant à congédier aussi vite que possible l'intrus. Mais, le verrou à peine tiré, elle eut la surprise de voir Ransom faire irruption dans son appartement.

A la raideur de son allure, elle sut tout de suite qu'il était venu lui demander des comptes. L'estomac noué, elle le suivit jusqu'au salon, se préparant mentalement à l'affronter. Lorsqu'il s'arrêta et pivota pour lui faire face, elle se sentit vaciller sous le coup de l'émotion : il avait le teint pâle et l'air hagard, sans doute le résultat d'une nuit blanche. Elle fut saisie par une envie irrépressible de l'étreindre et de le réconforter. Mais au lieu de cela, elle croisa les bras et soupira d'un air irrité.

— Honnêtement, Ransom, ça ne pouvait pas attendre ? demanda-t-elle d'une voix lasse, stupéfaite de ses qualités d'actrice.

— Non ! dit-il d'un ton dur. Je veux une explication pour ce qui s'est passé hier soir.

Et il avait raison de le vouloir, se dit Sam. Sauf qu'elle ne pouvait pas lui dire la vérité : elle devait continuer à jouer cette atroce comédie.

— Tu m'as demandé de t'épouser et j'ai dit non, dit-elle d'un ton sec.

Les mâchoires de Ransom se crispèrent.

— Il y a autre chose, rétorqua-t-il. Je sais juger les gens. Je suis sûr que nous avons les mêmes désirs : nous marier, fonder une famille, vieillir ensemble.

Sam voyait qu'il était en proie à des émotions violentes. Elle se demanda l'espace d'une seconde si elle serait un jour capable de se pardonner les souffrances qu'elle était en train de lui infliger.

— Oh, allons, Ransom ! s'écria-t-elle. Je ne me souviens pas d'avoir dit ça. Et si c'est le cas, alors je n'étais pas sérieuse. Tu sais, les femmes en rajoutent parfois pour faire plaisir à un homme. La vérité, c'est que si tu veux une épouse et des enfants, tu n'as pas choisi la bonne personne.

Elle fit mine d'étouffer un bâillement. Puis, elle se rapprocha de lui, et commença à jouer avec un bouton de sa veste en cuir.

— Mais cela dit, j'aimerais beaucoup te garder comme amant.

Les mots qu'elle venait de prononcer lui déchiraient le cœur…

Ransom la repoussa avec un air de profond dégoût.

— Non, merci. Tu m'as pris pour un imbécile, mais tout cela est bel et bien fini. Je ne veux plus jamais avoir affaire à toi.

S'efforçant de refouler ses larmes, Sam émit un soupir fataliste.

— C'est la vie. Parfois on gagne, parfois on perd.

Il la fixait avec une intensité effrayante.

— Je te conseille de ne plus jamais jouer à ce petit jeu, dit-il d'un ton menaçant. D'autres que moi pourraient se montrer moins tolérants. Je meurs d'envie de t'étrangler, et je suis sûr qu'à ma place, certains n'hésiteraient pas à passer à l'acte.

Puis il quitta le studio, claquant la porte derrière lui.

Paralysée par l'émotion, Sam laissa les larmes couler sur ses joues.

— Je t'aime, soupira-t-elle, le cœur brisé.

Sam passa les jours suivants à pleurer toutes les larmes de son corps. Mais quand vint l'heure de ses fiançailles avec Leno, elle réussit malgré sa peine à faire bonne figure devant les prestigieux invités et les nombreux photographes de presse conviés à la cérémonie, qui se déroulait dans un hôtel londonien très chic.

Avant ce jour, elle ne s'était jamais rendu compte à quel point son futur mari était un homme connu. A présent, Sam avait l'impression qu'il suffisait à Leno de claquer des doigts pour obtenir tout ce qu'il désirait. Aussitôt la date du mariage fixée, il avait contacté l'un des plus grands stylistes londoniens et celui-ci, bien que débordé, avait accepté de créer une robe de mariée tout spécialement pour elle.

A une semaine du mariage, mue par le besoin vital de se retrouver un moment seule, Sam décida d'aller se ressourcer dans les jardins de Kensington, où elle avait tant aimé flâner avec Ransom.

Dès qu'elle commença à parcourir les allées du parc, elle eut la sensation de respirer de nouveau. Chaque pas, lui semblait-il, l'éloignait davantage du chaos de sa vie. Au bout d'un moment, elle repéra un banc vide et s'y installa. Puis elle ferma les yeux pour mieux s'imprégner de la quiétude des lieux.

Une voix familière vint soudain briser sa paix intérieure.

— Alors finalement, ce n'était pas le mariage qui te dérangeait, mais le fait que je ne sois pas assez riche.

Sam écarquilla les yeux, abasourdie. Apparu comme par magie, Ransom était assis à l'autre extrémité du banc.

Elle sentit son cœur s'affoler.

— Mais d'où sors-tu ?

Il lui adressa un sourire glacial.

— Je t'ai vue descendre d'un taxi et je t'ai suivie. Je tenais absolument à féliciter la future mariée.

Et dire qu'elle avait eu la naïveté de croire qu'il ne saurait jamais rien de son mariage !

— Comment as-tu appris la nouvelle ?

— Un de mes collègues est tombé sur un article dans le journal et il a pensé que ça pourrait m'intéresser, expliqua Ransom d'un ton sarcastique.

Puis il ajouta :

— En tout cas, vous formez un couple charmant. Dommage qu'il ait l'âge d'être ton père ! Mais pardonne-moi ces considérations. Nous savons bien que cela importe peu, du moment qu'il est plein aux as.

— J'ai le droit d'épouser qui je veux, rétorqua-t-elle en le toisant avec défi.

Il eut un sourire méprisant.

— Je suis sûr que des *millions* de raisons te poussent à l'épouser... Dieu merci, je n'étais pas assez fortuné pour toi ! dit-il d'un ton acerbe. Sinon, je me demande combien de temps il m'aurait fallu pour comprendre tes vraies motivations. D'ailleurs, je devrais peut-être mettre ton futur mari au courant de certaines choses...

Sam eut un haut-le-corps. Il fallait à tout prix éviter que les deux hommes se rencontrent.

— Ce ne sera pas nécessaire, articula-t-elle d'une voix étranglée. Leno et moi avons passé un accord.

Ransom la regarda froidement. Ses beaux yeux étaient pleins de dédain. Un dédain qui brisait le cœur de Sam.

— Je comprends. Tu es son joli trophée et tu te charges de dépenser son argent. Comment ai-je pu tomber amoureux de toi ? Vous êtes aussi abjects l'un que l'autre !

Chaque mot qu'il prononçait la détruisait un peu plus. Il était clair qu'il éprouvait à présent pour elle une haine féroce. La seule défense efficace lui semblait être l'indifférence.

— As-tu terminé ? demanda-t-elle en feignant le plus grand calme.

Ransom la regarda de la tête aux pieds, comme s'il la voyait pour la première fois.

— Mon Dieu, tu es aussi froide qu'un glaçon. Je te souhaite de bien profiter de ton argent. Pourvu qu'il te tienne chaud la nuit !

Ce furent les derniers mots qu'il prononça avant de s'éloigner.

Sam garda les yeux rivés sur lui, en espérant qu'il se retournerait avant de disparaître complètement, mais il ne jeta pas un seul coup d'œil en arrière. Epuisée au point de ne plus pouvoir verser de larmes, Sam regarda alors avec indifférence ce paysage qu'elle avait toujours trouvé magnifique. Désespérée, anéantie, elle fit le serment silencieux de ne plus jamais rien ressentir. La joie comme la peine appartenaient désormais au passé.

3.

Confortablement installée sur le siège passager d'un luxueux cabriolet, Sam ne se lassait pas de regarder défiler les paysages verdoyants de la campagne anglaise. Songeant qu'elle ne s'était pas sentie aussi bien depuis une éternité, elle poussa un profond soupir de satisfaction. Ce bonheur, même fugace, lui donnait un mince espoir pour l'avenir.

Après le décès de Leno d'une crise cardiaque, six mois plus tôt, elle avait dû décider de la direction à donner à sa vie. Depuis leur voyage de noces, six ans auparavant, son mari et elle s'étaient installés en Italie et n'avaient plus jamais remis les pieds sur le sol britannique. Sam avait vite été adoptée par la famille de Leno et elle s'était très bien acclimatée à son nouveau pays. A la mort de son époux, elle avait même envisagé de continuer à vivre là-bas.

Certes, son union avec Leno avait été conclue dans des circonstances particulières, mais Sam ne gardait pas un mauvais souvenir de leurs années de vie commune. Mari attentionné, Leno n'avait cessé de lui prouver son affection en la couvrant de cadeaux et en lui offrant un train de vie dont elle n'aurait jamais osé rêver. Elle était persuadée qu'il aurait aussi fait un excellent père si la nature n'en avait pas décidé autrement, les privant d'enfants.

Au fil des ans, Sam s'était efforcée de tenir le mieux possible son rôle d'épouse et elle pensait avoir réussi à rendre son mari heureux. Néanmoins, elle avait éprouvé une immense surprise en apprenant qu'il lui avait légué la plus grosse partie de sa fortune. Désormais à l'abri du besoin pour le reste de ses jours, elle avait finalement décidé de retourner vivre en Angleterre.

Peu de temps après son arrivée sur le sol natal, elle avait créé, avec une partie de l'argent laissé par son mari, la fondation Grimaldi. Celle-ci était chargée de collecter des fonds en vue de la construction d'un hospice dans le comté du Norfolk. C'était le premier projet de la fondation et Sam se rendait fréquemment sur place afin de régler les détails techniques, avant le lancement des travaux.

En cet instant, elle sillonnait les routes champêtres de la région en compagnie de son ami Alex Hunt, dont elle avait fait la connaissance quelques mois plus tôt et dont les parents, David et Ellen, participaient au financement du nouvel hospice. Le couple accueillait Sam pour la cinquième fois, et elle se réjouissait à l'idée de les revoir et de passer quelques jours avec eux.

Le sourire aux lèvres, elle regarda Alex négocier avec précision un virage très serré. Même s'il approchait la trentaine, il s'enthousiasmait encore comme un gamin dès qu'il avait une voiture de sport entre les mains. Se sentant sans doute observé, il jeta un coup d'œil vers elle et lui sourit.

— Je peux savoir à quoi tu penses ? demanda-t-il d'un ton léger.

Sam poussa un petit rire joyeux.

— En fait, je me disais que pour toi, aucune femme ne comptera jamais autant que ta voiture.

— Mais non, Sam ! Tu sais bien que je t'aime comme un fou.

Il plaisantait, bien sûr, mais ce fut soudain la voix d'un autre homme lui avouant son amour que Sam crut entendre, et son cœur se serra aussitôt. Consciente qu'il ne servait à rien de remuer le passé, elle refoula aussitôt ce souvenir.

— On est bientôt arrivés, annonça Alex.

Sam regarda devant elle. Juste après la bifurcation se trouvait la maison où son ami avait passé une partie de son enfance. Elle adorait cette vieille demeure à pignons, au charme si particulier. Au fil des siècles, ses divers occupants l'avaient agrandie, ajoutant au coup par coup des pièces toutes plus biscornues les unes que les autres, reliées par un dédale de couloirs et d'escaliers étroits.

Alex mit son clignotant et tourna pour prendre une route qui serpentait à travers la lande et rejoignait au loin la côte. Quelques instants plus tard, ils franchissaient le portail de la propriété.

Les Hunt étaient l'une des plus vieilles fortunes du pays. David Hunt était revenu habiter la maison familiale à sa retraite, après avoir effectué une longue et brillante carrière dans la finance. Stimulé par la réussite professionnelle de son père, Alex avait choisi de suivre ses traces.

— Tiens ! On dirait bien que Karl passe le week-end ici, fit observer le jeune homme en apercevant son frère aîné assis sur le perron.

Après leur avoir fait un petit signe de la main, Karl tourna la tête, comme pour répondre à quelqu'un à l'intérieur.

— Ça signifie qu'il va y avoir de l'ambiance, ajouta Alex.

Sam s'entendait bien avec Karl, qu'elle avait rencontré lors d'une de ses visites chez les Hunt.

Alex coupa le moteur et ils descendirent de voiture. Fouillant dans son sac, Sam en extirpa une paire de lunettes qu'elle chaussa aussitôt afin de se protéger du soleil aveuglant.

— Pas de doute, lança Karl en descendant d'un pas nonchalant les marches du perron. Ça valait vraiment le coup de rentrer à la maison ! J'ai toujours eu un faible pour les belles blondes aux courbes parfaites.

— Sans parler des brunes et des rousses…, ironisa aussitôt une autre voix masculine, à l'intérieur de la maison.

Sam eut l'impression que son cœur s'arrêtait de battre. Tandis que son sang se mettait à cogner furieusement à ses tempes, elle sentit le sol se dérober sous ses pieds. Jetant un regard affolé en direction du perron, elle chercha à apercevoir l'homme qui venait de parler, mais l'ombre du portique le dissimulait. Mais était-il nécessaire de voir ? Cette voix était imprimée dans sa mémoire à tout jamais, et elle l'aurait reconnue entre mille. Mais comment diable était-ce possible !

Alex, qui n'avait rien remarqué de son trouble extrême, rit en regardant l'homme qui faisait soudain son apparition en haut de l'escalier, les mains négligemment enfoncées dans ses poches de jean et un grand sourire aux lèvres. Sam pouvait à peine en croire ses yeux. Elle n'avait donc pas rêvé ! Il s'agissait bien de Ransom !

Pendant une seconde, elle eut l'impression que la terre s'arrêtait de tourner. Sa bouche s'assécha, puis son cœur se mit à battre à une vitesse folle. Clouée sur place, hypnotisée, elle ne parvenait pas à détacher ses yeux de lui. C'était comme si une lumière depuis longtemps éteinte venait de se rallumer, illuminant soudain sa vie, parant son univers de mille couleurs chatoyantes.

Ransom était encore plus beau que dans son souvenir. Elle observa son corps mince et vigoureux, et frissonna de tout son être. Des sensations depuis longtemps oubliées se réveillaient en elle… Ses baisers, ses caresses, le parfum de sa peau… elle avait tellement envie d'y goûter de nouveau. Elle voulait revoir ses beaux yeux gris brûler de désir pour elle, entendre le son chaud de sa voix quand il lui disait qu'il l'aimait…

Karl s'avança vers elle, lui masquant du même coup la vue.

— Ravi de vous revoir, madame Grimaldi, dit-il en lui serrant chaleureusement la main.

Son intervention fit à Sam l'effet d'une douche froide. En un éclair, la réalité reprit le dessus, l'arrachant à ses rêveries, balayant ses doux souvenirs comme des fétus de paille. D'ici quelques secondes, Ransom la reconnaîtrait à son tour, et elle imaginait sans difficulté ce qu'elle lirait alors dans son regard : de la haine et du dégoût. Il fallait absolument qu'elle se prépare à affronter ce pénible moment sans rien laisser paraître de ses émotions.

A force d'évoluer dans la haute société, Sam avait appris à garder une parfaite maîtrise d'elle-même en toutes circonstances. Elle retira d'un geste vif ses lunettes de soleil et adressa un grand sourire à Karl.

— Je vous en prie, appelez-moi Sam. Comment allez-vous depuis notre dernière rencontre ?

Pendant ce temps, Alex, stupéfait, se précipitait en direction de Ransom, la main tendue.

— Ça alors ! s'écria-t-il. C'est bien toi, Ransom ? Je m'attendais à tout sauf à ça ! Quel plaisir de te revoir ! Qu'est-ce que tu fais ici ?

Abasourdie, Sam regarda Ransom dévaler les marches pour venir saluer Alex.

Remarquant sa surprise, Karl expliqua :

— Ils se sont connus par mon intermédiaire. J'ai rencontré Ransom en fac de droit. Il adorait la voile et moi aussi. Un été, ses parents sont partis à l'étranger, et il est venu passer quelques semaines ici. Après l'université, on s'est perdus de vue… jusqu'à ce que je tombe sur lui l'autre jour… Il a un bateau amarré au port voisin !

— Je suis arrivé hier, dit Ransom en réponse à une question d'Alex.

— Attends une seconde ! Il me semble avoir lu quelque part que tu participais à une régate dans l'Atlantique Sud, avec une Américaine… une certaine Virginia, le taquina Alex.

Sam eut l'impression de recevoir un coup de poing en pleine poitrine. Ransom avec une autre… Elle avait la nausée rien que d'y penser.

— C'était une beauté ! répondit Ransom Et si sensible… si obéissante… Elle m'a vraiment comblé. On a passé un mois ensemble, puis j'ai dû la ramener chez elle.

— Et elle ne te manque pas trop ? demanda Alex d'un ton compatissant avant de pouffer de rire.

— Si, bien sûr. Mais je sais qu'elle m'attend au port, rétorqua Ransom avec un grand sourire.

Sam se sentit tout à coup stupide. Virginia n'était pas une femme, mais un bateau ! Comment avait-elle pu se tromper ? Elle connaissait pourtant l'amour de Ransom pour les voiliers, elle l'entendait encore lui faire part de son souhait de parcourir les océans. Apparemment, son rêve était devenu réalité.

Bien que soulagée, Sam n'était pas pour autant rassurée : le vif sentiment de jalousie qui l'avait envahie n'augurait rien de bon pour elle…

Soudain, Ransom se tourna vers elle. Ses yeux s'attardèrent d'abord complaisamment sur sa silhouette, puis s'arrêtèrent brusquement sur son visage. Il resta pétrifié. Il plongea ses beaux yeux gris dans ceux de Sam. Il avait l'air fasciné, envoûté, et la jeune femme se sentit happée avec lui dans un autre monde.

C'était comme au premier jour, quand leurs regards s'étaient croisés et que la foudre s'était abattue sur eux, les projetant hors du temps. La violente attirance qui les avait poussés l'un vers l'autre n'avait rien perdu de son intensité…

C'était pourtant la dernière chose dont Sam avait besoin. Elle avait travaillé si dur pour emprisonner ses sentiments tout au fond de son cœur ! Elle s'était répété sans relâche que le passé était mort, mort et enterré ! Et voilà qu'elle se retrouvait devant cet homme, le corps tremblant et les nerfs à vif.

Le regard de Ransom devint subitement froid comme l'acier et ses mâchoires se crispèrent.

En dépit de ses efforts surhumains pour dissimuler son trouble, Sam pressentait qu'elle n'était pas parvenue à masquer totalement ses émotions. Elle en eut la confirmation lorsque Alex lui lança :

— Eh, Sam ! N'aie pas l'air si choquée ! On ne parlait que de voiliers ! Ransom fait de la navigation de plaisance et participe également à des courses.

— D'ailleurs, il est sacrément doué, ajouta fièrement Karl. S'il continue, il va pouvoir participer aux jeux Olympiques.

Ransom glissa de nouveau les mains dans ses poches et parvint à esquisser un sourire.

— Arrêtez, vous deux ! Je suis sûr que ça ne l'intéresse pas.

Avec l'aisance acquise auprès de Leno, Sam répondit d'un ton calme et courtois :

— J'ai bien peur de ne pas connaître grand-chose à la voile. Je n'ai jamais navigué de ma vie.

Alex réagit aussitôt.

— Il faut absolument qu'on y remédie, déclara-t-il avec enthousiasme. Je suis sûr que Ransom sera très content de t'accueillir à bord pour une petite sortie. Je peux te garantir que tu vas adorer.

Sam réfréna de justesse un gémissement. Elle ne voulait surtout pas se retrouver seule avec Ransom !

— Je n'en ai pas très envie, Alex. Et puis Karl et son ami ont sans doute prévu autre chose.

— Apparemment, cette jeune femme préférerait que ce soit toi qui l'accompagnes, Alex, ajouta Ransom en regardant Sam droit dans les yeux, un sourire moqueur aux lèvres.

Mal à l'aise, celle-ci détourna la tête.

— Ne dis pas de bêtises ! répliqua Alex. Chacun son domaine. Et en l'occurrence, c'est le tien.

Avec une immense amertume, Sam se dit que Ransom paraissait finalement très détendu pour quelqu'un qui venait de se retrouver face à la femme qui l'avait trahi et abandonné.

— Mais je suis sûr que madame... Pardonnez-moi, je n'ai pas saisi votre nom...

Elle eut un léger pincement au cœur en pensant qu'il allait réussir à convaincre tout le monde qu'il ne la connaissait pas.

— Désolé, j'ai oublié de faire les présentations, dit Alex en se tournant vers elle avec un large sourire. Voici Mme Samantha Grimaldi, une amie de la famille.

— Et ce beau ténébreux s'appelle Ransom Shaw, compléta Karl.

Sam songea que l'expression convenait parfaitement au personnage. Ransom était d'une beauté à couper le souffle et sa vitalité semblait concentrée tout entière dans la flamme sombre de son regard, ce regard si intense qui l'avait envoûtée dès la première seconde.

Elle repensa soudain au moment où ils s'étaient serrés la main, le jour de leur rencontre. Elle avait été parcourue par une onde de désir d'une violence inouïe…

Sam secoua la tête pour chasser ces souvenirs et, le cœur battant à tout rompre, avança la main vers celle que lui tendait Ransom. Elle vit une lueur sarcastique s'allumer dans ses yeux.

« Ne montre rien ! Quoi qu'il se passe, surtout ne montre rien ! » s'adjura-t-elle en silence.

Un sage conseil, puisque ce qu'elle avait tant redouté se produisit. A la seconde où leurs mains se touchèrent, elle fut parcourue par un frisson qui secoua chaque fibre de son être, lui coupant le souffle.

— Ravie de vous rencontrer, monsieur Shaw, réussit-elle cependant à articuler.

Les yeux gris lancèrent des éclairs.

— Moi aussi, madame Grimaldi, répondit-il en inclinant la tête.

Il effleura la paume de Sam avec le pouce, et la jeune femme ne put s'empêcher de sursauter.

— Je vous en prie, appelez-moi Sam, suggéra-t-elle en retirant sa main.

— Seulement si vous voulez bien m'appeler par mon prénom, répliqua-t-il en la regardant d'un air de défi.

Sam n'avait aucune intention de flancher.

— Très bien, Ransom, dit-elle avec un sourire.

— Vous êtes seule avec Alex ? M. Grimaldi ne va pas nous rejoindre ? s'enquit-il alors.

Derrière son masque de courtoisie irréprochable, il sous-entendait clairement qu'elle profitait de l'absence de son mari pour prendre du bon temps… Sam parvint malgré tout à cacher son irritation.

— Mon époux est mort il y a six mois, répondit-elle d'un ton neutre.

Elle lut dans son regard qu'il le savait déjà.

— Vous avez dû être très affectée par son décès, dit-il d'un ton faussement compatissant.

— Leno était un homme bon. Il me manque.

Ransom prit un air sombre et hocha la tête.

— J'imagine que vous devez encore souffrir aujourd'hui de son absence.

Son estomac se noua. Elle percevait dans son intonation une cruauté à peine voilée.

— Nous nous entendions bien et nous étions heureux, affirma-t-elle. Et vous, Ransom, êtes-vous marié ?

— Seule une femme exceptionnelle réussira à l'arracher au célibat, intervint Karl d'un ton taquin.

Sam sentit son cœur se serrer. Elle se souvenait du temps où Ransom la trouvait « exceptionnelle ». Mais elle lui avait largement prouvé par la suite qu'elle ne l'était pas.

Comme en écho à ses pensées, Ransom déclara sèchement :

— S'il en existe une… On s'imagine parfois avoir trouvé la perle rare, mais en grattant un peu, on s'aperçoit qu'on s'est trompé sur toute la ligne.

— Alex, reprit Karl en riant, je ne t'ai pas encore dit que Ransom figurait dans le classement annuel des dix célibataires les plus en vue du pays.

— Le célibat me convient très bien, souligna Ransom.

— Mon œil ! Le problème, c'est que tu es riche comme Crésus et que les femmes veulent toutes t'épouser pour ton argent.

— Tu ne trouverais pas ça si drôle à ma place ! rétorqua-t-il. Depuis que ce maudit classement est paru, je ne peux plus faire un pas sans qu'apparaisse soudain une nouvelle prétendante au titre de « Mme Shaw ».

— Tu devrais sortir une pleine page dans les journaux pour dire que tu n'es pas disponible, suggéra Alex avec un grand sourire.

Karl éclata de rire.

— Aucune chance que ça marche ! s'exclama-t-il. Les femmes ne lâchent pas prise si facilement. Elles pensent toujours qu'elles vont réussir à nous faire changer d'avis.

Sam sentit son cœur se serrer. Jadis, elle n'avait jamais eu besoin de faire pression sur Ransom : leur esprit et leur cœur avaient toujours été à l'unisson. A tel point qu'elle s'était sentie prête à se marier et à avoir des enfants avec lui.

— Oui, tu as raison Karl, concéda Alex avec un grand sourire. Ce pauvre Ransom semble condamné à faire partie des mâles les plus convoités du pays.

Ransom sourit en retour. Mais Sam n'avait jamais eu de mal à lire en lui, et elle sentait bien qu'il n'était pas du tout amusé par la situation. Elle fut soudain saisie par l'envie de venir à son secours.

— Ce n'est pas drôle, murmura-t-elle sous les yeux étonnés des trois hommes.

Ransom la regarda fixement.

— Ça doit être très humiliant pour un homme de n'être aimé que pour son argent, ajouta-t-elle. Autant que ça l'est pour une femme d'être réduite à un objet de plaisir.

— Merci de vous montrer aussi compatissante, Sam, dit Ransom d'un ton ironique. Mais vous savez, le contraire est vrai aussi.

Sam fronça les sourcils, interloquée.

— Je ne vois pas…

Il la regarda droit dans les yeux.

— Je veux dire qu'une femme peut être convoitée pour son argent et un homme traité comme un vulgaire objet sexuel. Ce qui ne vaut pas mieux, vous en conviendrez.

— Là, ça va beaucoup trop loin, dit Karl d'un ton réprobateur. Allons chercher les bagages, Alex.

Une fois qu'il furent seuls, Ransom se tourna vers Sam et la dévisagea avec une intensité qui la fit trembler. Pendant un instant, elle ferma les yeux, incapable de supporter son hostilité.

— Ransom, je…

Elle n'avait aucune idée de ce qu'elle allait lui dire, mais elle n'eut pas l'occasion de le savoir car il lui coupa la parole :

— Tu sais, tu n'avais pas besoin de me défendre contre les taquineries de Karl et Alex, précisa-t-il d'un ton tranchant.

— Peut-être, mais j'ai toujours détesté les gens qui rient aux dépens des autres.

— Il faudra pourtant bien que tu t'en accommodes. Alex n'hésitera jamais à divertir vos amis en leur racontant les bêtises qu'il t'arrivera de commettre.

Sam fronça les sourcils.

— Que veux-tu dire ?

Il haussa les épaules.

— Je ne fais que te donner quelques conseils. Ainsi, tu sauras à quoi t'en tenir quand tu l'épouseras.

— Quoi ! Epouser Alex ? Mais… mais qu'est-ce que tu racontes ? bafouilla-t-elle.

— Je parie que tu as des vues sur lui, poursuivit-il d'un ton glacial. Comment expliquer ta présence ici, sinon ? Alex a de l'argent. Or, une femme comme toi en veut toujours plus.

Sam serra les dents, touchée au vif par cette accusation.

— Pour ton information, répliqua-t-elle, je suis venue voir la mère d'Alex.

— Quel bon prétexte !

— Je ne suis pas amoureuse d'Alex Hunt ! martela-t-elle, si furieuse qu'elle aurait pu le gifler.

Lorsque leurs regards se rencontrèrent, elle sentit une nouvelle fois entre eux cette attirance puissante, qui tranchait violemment avec l'hostilité dont Ransom faisait preuve à son égard.

— Mais nous savons tous deux que tu n'as pas besoin d'être amoureuse d'un homme pour l'épouser. Il suffit qu'il soit riche…

— Tu n'as aucun droit de dire ça ! répondit Sam d'un ton ferme. Je ne suis pas une femme vénale.

Il afficha un air narquois.

— Non, bien sûr. Voyons comment tu pourrais m'en convaincre… Ah, oui ! Il faudrait que tu me jures que ton mariage avec Leno Grimaldi n'avait rien à voir avec sa fortune.

Elle le fixa sans rien dire. Il poussa alors un petit rire sarcastique et recula de quelques pas, ce qui permit à Sam de respirer un peu.

— Tu crois sans doute me connaître, poursuivit-il, mais j'ai beaucoup changé. Alors réfléchis bien avant d'agir et n'oublie pas que je sais de quoi tu es capable.

Elle sentit son cœur se serrer en l'entendant la menacer ainsi.

— Tu cherches à m'intimider ?

Il sourit légèrement.

— Je doute que quiconque en soit capable. Tu as des nerfs d'acier. Ajoutons à cela un cœur de pierre, et on obtient… une femme très dangereuse. C'est pourquoi je pense qu'il faudrait qu'on ait une petite discussion en privé.

Sam secoua la tête.

— Nous n'avons rien à nous dire !

— Je pense que la situation l'exige, précisa-t-il avec un regard éloquent.

Elle croisa les bras.

— La situation n'exige rien du tout, Ransom. Toi et moi, c'est du passé.

— Comme tu le dis, c'est du passé. Cependant, je pensais plutôt à ce qui vient de se produire entre nous, quand nous nous sommes serré la main.

Elle frissonna.

— Nous avons ressenti certaines choses, mais ça ne veut rien dire, répondit-elle sur la défensive.

— On devrait au moins en discuter.

Elle eut un petit rire nerveux.

— C'est inutile. Une réaction physique ne signifie rien.

— Oh, rassure-toi, j'ai très bien compris le message la dernière fois. Tu t'étais alors montrée parfaitement claire, et je me passerais volontiers d'une piqûre de rappel.

Sam poussa un soupir las.

— Alors s'il te plaît, n'en parlons plus. Fais-moi confiance. Je ne m'intéresse pas à l'argent d'Alex et je ne compte pas l'épouser.

Ransom lui jeta un regard dubitatif.

— Mon métier m'amène à rencontrer chaque jour des criminels, dont certains sont condamnés à moisir en prison pour le restant de leurs jours. Même parmi ceux-ci, il en est dont je me méfierais moins que de toi, déclara-t-il d'un ton tranchant.

Face à cette rebutante comparaison avec ce que l'humanité comptait de pire, Sam sentit son sang se glacer. Mais elle parvint à feindre l'indifférence.

— Très bien, dit-elle en haussant les épaules. Ne me crois pas. Contente-toi simplement de me ficher la paix !

Alex et son frère arrivèrent à ce moment-là, lui épargnant à coup sûr une autre remarque désobligeante de la part de son ancien amant.

— Au fait, tu restes ici combien de temps, Ransom ? demanda Alex en déposant les bagages par terre.

— Juste le week-end. Avant que je n'arrive, Karl avait annoncé à tes parents qu'il leur réservait une belle surprise, répondit-il avec un petit rire forcé.

— Et bien sûr, ils s'étaient imaginé que j'allais leur présenter une charmante demoiselle, compléta Karl. Mais ils ont tout de même été très contents de revoir Ransom.

Soulevant les sacs déposés par Alex, Ransom gravit les marches du perron.

— Un week-end riche en surprises, en effet…, dit-il.

Sam ne put qu'approuver en silence.

— Alex et Sam, filez donc dire bonjour aux parents pendant que nous montons vos bagages, suggéra Karl, qui se trouvait en bas de l'escalier. Ils doivent être dans le jardin.

— D'accord, approuva son frère. N'oublie pas que Sam loge dans la chambre de Catherine.

Catherine était leur sœur. Elle s'était mariée et avait quitté la maison quelques années plus tôt.

Alors qu'il allait emprunter l'escalier menant au premier étage, Ransom jeta un coup d'œil par-dessus son épaule, les yeux brillant d'ironie.

— La chambre de Catherine se trouve bien dans l'aile la plus ancienne de la maison ? Sam me disait justement à l'instant combien elle appréciait les vieilles choses.

Alex acquiesça.

— Oui, Karl va t'indiquer le chemin.

Ransom eut un large sourire avant de se retourner.

Sam poussa un profond soupir de soulagement lorsqu'il fut hors de sa vue, et elle suivit docilement Alex à l'arrière de la maison, où se trouvait le jardin.

Comme d'habitude, elle fut accueillie très chaleureusement par le couple Hunt.

— Sam ! Je suis si contente de vous revoir ! s'écria Ellen en l'apercevant. Venez vous asseoir autour de la table avec nous. Alex, tu sais que Ransom est là ?

— Oui, nous avons bavardé un moment. Dites, vous avez jeté un sort à Karl pour réussir à l'éloigner de son bureau ?

— Pire que ça ! Ta mère l'a menacé, répondit David d'un ton taquin.

— Comme si c'était dans mes habitudes ! Non, je lui ai simplement fait remarquer qu'il n'était pas sain de passer ses journées enfermé dans un bureau. On ne le voit jamais !

— J'imagine qu'il vous manque, dit Sam avec gentillesse.

Ellen poussa un soupir et hocha la tête.

— Tous nos enfants me manquent. Ils mettaient tellement de vie dans la maison. Maintenant, elle me paraît bien silencieuse. On n'entend plus rien à part le craquement de nos articulations !

— Parle pour les tiennes ! Mes articulations à moi vont très bien ! protesta son mari tout en faisant un clin d'œil à Sam, qui lui sourit en retour.

Ellen Hunt fit mine d'être vexée, mais elle avait les yeux pétillants quand elle reprit la parole.

— Heureusement, Karl a quand même fini par venir, et il nous a même fait la surprise d'inviter Ransom. A propos, Sam, qu'avez-vous pensé de lui ?

A sa grande honte, la jeune femme sentit ses joues s'empourprer. Après avoir laissé croire qu'elle ne connaissait pas Ransom, elle n'avait d'autre choix que de poursuivre sur sa lancée.

— Il a l'air… charmant.

Ellen lui tapota le genou en signe d'approbation.

— Je pensais bien que vous diriez ça. Tout le monde l'apprécie, lança-t-elle avec une fierté presque maternelle. C'est un très bel homme… et si brillant ! Bien sûr, mes fils sont tout aussi charmants, mais je crains que la banque ou le conseil juridique ne fasse pas vraiment rêver les femmes.

Elle s'excusa du regard auprès de son plus jeune fils, mais Alex n'avait pas du tout l'air offensé.

— Ah bon ! Pourtant, j'ai plutôt l'impression qu'elles ont sacrément du mal à me résister, rétorqua-t-il d'un air vantard, provoquant un rire général.

— Au fait, Sam, ça fait maintenant un moment que vous êtes revenue en Angleterre. Vous êtes bien installée ? demanda David.

Sam habitait Londres, et même si elle n'avait pas besoin d'argent, elle avait choisi de recommencer à travailler. Elle avait trouvé un emploi dans un des hôtels les plus prestigieux de la capitale où ses compétences linguistiques rendaient de nombreux services aux clients venus des cinq continents.

— Tout va bien. Mon appartement bénéficie d'une vue sublime et je m'y sens très bien. Pour ce qui est de mon travail, je n'ai pas le temps de m'ennuyer, surtout à cette période de l'année. Les touristes affluent et le moindre problème prend vite l'allure d'un drame pour ceux qui ne comprennent pas notre langue. Je viens avec beaucoup de plaisir au secours des clients de l'hôtel, ajouta-t-elle avec un grand sourire qui s'évanouit dès qu'elle vit Ransom et Karl approcher.

— Ah ! Voilà les garçons, annonça Ellen en suivant son regard.

Sam regarda évoluer Ransom. Comme autrefois, il avait la démarche décidée d'un homme bien dans sa peau et sûr de lui.

Ellen jeta un regard critique à son fils aîné.

— Honnêtement, Karl, ce jean est affreux !

— Mais très confortable, rétorqua son fils.

Comme toutes les chaises étaient prises, ce dernier s'assit sur la pelouse, aux pieds de sa mère, et Ransom s'allongea juste à côté de lui.

— J'espère que tu t'habilleras de manière plus élégante pour notre dîner de charité. J'attends de toi et de ton frère que vous y participiez de bonne grâce, dit-elle d'un ton sans appel.

Karl adressa un grand sourire à sa mère.

— Je te jure de revêtir pour l'occasion ma plus belle toge et de porter ma plus jolie perruque, même si je ne sais pas du tout de quoi il s'agit, déclara-t-il solennellement.

Ellen secoua la tête en signe d'impuissance.

— Il est vraiment incorrigible ! Karl, je te parle de la collecte de fonds pour l'hospice que nous construisons. Sam représente la fondation Grimaldi, qui finance une grande partie du projet. Le dîner est payant et l'argent récolté servira à aider les enfants incurables et leurs familles.

Jusque-là, Ransom avait gardé le silence, mais Sam le vit soudain se tourner vers elle.

— La fondation Grimaldi ? demanda-t-il, perplexe.

Cette question obligea Sam à poser les yeux sur lui, et elle sentit aussitôt son cœur s'emballer. Pendant qu'elle luttait de toutes ses forces pour recouvrer son calme, elle songea que Ransom semblait quant à lui parfaitement serein.

Elle décida de l'imiter en ne laissant rien paraître de son trouble.

— J'ai créé cette fondation en hommage à mon mari. Nous n'en sommes qu'aux débuts, mais qui sait ce que l'avenir nous réserve ? Peut-être monterons-nous ensuite d'autres projets ? répondit-elle en jetant un coup d'œil à Ellen, qui hocha la tête avec enthousiasme.

— Votre famille sera-t-elle présente au dîner de charité, Sam ? intervint David.

Elle haussa les épaules.

— Mes parents vont sans doute venir, mais pour le reste de la famille, ça risque d'être plus difficile. Vous savez, ils habitent tous assez loin d'ici, surtout mon frère Tony qui est parti vivre en Australie.

Elle sentit son visage s'assombrir tandis qu'elle prononçait le prénom de son frère. Tony et elle ne s'étaient pas parlé une seule fois au cours des six dernières années, et son absence lui pesait, même si les nouvelles que lui en donnaient ses parents étaient plutôt rassurantes.

— Où habitiez-vous auparavant ? demanda soudain Ransom.

J'ai du mal à croire qu'on puisse bronzer aussi bien sous les cieux anglais.

— Eh, Ransom ! Tu te crois au palais de justice ! N'aboie pas après elle ! s'écria Karl d'un ton désapprobateur.

Sam dut se mordre la lèvre pour ne pas rire.

— C'est une question sensée et je n'aboyais pas, rétorqua Ransom après avoir poussé un soupir de victime. Je n'aboie d'ailleurs jamais.

— Si ! Je t'ai entendu ! le contredit aussitôt Karl.

— J'habitais en Italie jusqu'à la mort de mon époux, et j'y retourne encore parfois, répondit Sam, mettant fin du même coup aux taquineries de Karl.

— Notre invitée y possède une résidence secondaire qui surplombe l'Adriatique, ajouta Ellen.

Sam vit une lueur moqueuse scintiller dans les yeux de Ransom et pria le ciel pour qu'il ne fît aucun commentaire. Mais il ne put évidemment s'empêcher d'intervenir.

— Comme la vie est dure pour les riches ! soupira-t-il en hochant la tête.

Karl le rabroua aussitôt.

— Ah, tu peux parler ! Tu es l'heureux propriétaire d'un magnifique voilier capable d'affronter des océans déchaînés et d'une très belle maison en plein cœur de Londres. Sans parler de cet appartement à Corfou !

Ransom esquissa un sourire.

— J'ai gagné mon argent à la sueur de mon front, répliqua-t-il.

Derrière le vernis policé, l'attaque était cinglante, songea Sam. Puisqu'elle avait épousé un homme riche, elle était une femme cupide et sans morale.

— Tandis que moi, j'ai hérité de mon mari. Je suis désolée que cela vous pose un problème, répondit-elle d'un ton calme mais ferme.

Ransom la regarda droit dans les yeux.

— Ça ne me pose aucun problème, Sam. Je suis sûr que vous aimiez profondément votre mari, précisa-t-il en lui souriant avec décontraction.

Qu'il était habile ! Nul ne pouvait soupçonner qu'il mettait une fois de plus en cause la sincérité de ses sentiments pour Leno.

— Au fait, pourquoi un Italien ? Tu l'avais rencontré en vacances ? lui demanda Alex.

Cette diversion soulagea Sam. Pendant quelques instants au moins, elle aurait le loisir de regarder quelqu'un d'autre.

— Non, je l'ai rencontré par le biais de ma famille. J'ai moi-même un quart de sang italien.

— Très intéressant ! intervint Ransom d'un ton suave. Je me représente les Italiens comme un peuple passionné, aux sentiments exacerbés, et avec un sens extraordinaire de la famille. Vous reconnaissez-vous dans ce portrait, Sam ?

Bien sûr, pensa Sam avec exaspération, il avait fallu qu'il vienne mettre son grain de sel dans la conversation, et la bienséance l'obligeait maintenant à lui répondre.

— Je pense que oui. En cas de problème, je ferais n'importe quoi pour venir en aide à ma famille, affirma-t-elle avec force.

Après tout, nul n'était aussi bien placé qu'elle pour le savoir : elle en avait fait l'amère expérience six ans plus tôt.

Ransom inclina la tête, songeur.

— Vous feriez n'importe quoi ? Ça paraît plutôt extrême.

— A condition de ne pas enfreindre la loi, précisa-t-elle aussitôt.

Il lui adressa un sourire ironique.

— Certaines choses sont criminelles sans pour autant tomber sous le coup de la loi. Ne pensez-vous pas que briser le cœur d'un être qui vous a accordé toute sa confiance soit un crime atroce ?

— C'est difficile à dire, répondit-elle sans se démonter. Tout dépend des circonstances.

— Hé, Ransom ! intervint Alex. Tu continues à lui faire passer un interrogatoire.

Ransom haussa tranquillement les épaules.

— Mais non, on discute gentiment de choses et d'autres. Vous ai-je mise mal à l'aise ? demanda-t-il en la fixant d'un air plus moqueur que jamais.

— Pas le moins du monde.

— Sam, intervint soudain Ellen, que diriez-vous d'aller tout de suite dans le bureau pour que nous regardions ensemble les plans de l'hospice ? Comme ça, vous aurez tout le reste du week-end pour vous détendre.

Sam sauta sur cette occasion de mettre un peu de distance entre Ransom et elle.

— Très bonne idée, répondit-elle en souriant.

— Allez ! On va vous laisser bavarder tranquillement entre hommes, conclut Ellen en arborant un sourire malicieux.

Tout en se levant, Sam jeta un rapide coup d'œil à Ransom, toujours étendu dans l'herbe. Elle aurait mis sa main au feu qu'il était beaucoup moins décontracté qu'il voulait le faire croire. Pourquoi sinon tiendrait-il tant à s'entretenir en privé avec elle ? De toute façon, il était hors de question qu'elle lui fasse ce plaisir. Même si le week-end risquait de lui paraître atrocement long, elle avait la ferme intention de sortir victorieuse de cette guerre des nerfs…

4.

Quand elle remonta dans sa chambre pour se rafraîchir avant le dîner, Sam se sentait totalement épuisée. Certes, elle avait mis à profit le temps passé avec Ellen pour trouver d'autres moyens de récolter des fonds, mais elle ne se pardonnait pas de lui avoir menti au sujet de Ransom. Rongée par la culpabilité, elle était gagnée par un malaise croissant.

Après avoir avalé un comprimé d'aspirine pour lutter contre un début de migraine, elle s'allongea sur le lit et cala deux oreillers moelleux sous sa tête, espérant parvenir à se reposer quelques minutes. Mais à la seconde où elle commençait à se détendre, les souvenirs déferlèrent, et elle fut envahie par un flot incontrôlable d'émotions en repensant à tous les moments merveilleux qu'elle avait passés avec Ransom, et au jour funeste où elle avait dû mettre un terme à cet amour.

Ses sentiments pour lui n'avaient pas changé… A la seconde où elle l'avait revu, elle avait su qu'elle l'aimait avec autant de force qu'autrefois. Mais cela ne changeait rien au fait que leur histoire était bel et bien terminée. A part l'amour infini d'une femme et la haine d'un homme bafoué, il n'en restait absolument rien.

Enfin… rien sauf cette attirance irrésistible qu'ils éprouvaient l'un pour l'autre. Sam était stupéfaite de sentir son désir intact après toutes ces années. Un bref instant avait suffi pour qu'il se réveille, semant le chaos dans son corps et son esprit…

Mais après le week-end, Ransom et elle reprendraient leur route, chacun de son côté, et loin de lui, ses sens s'apaiseraient de nouveau. D'ici là, il faudrait qu'elle puise au plus profond d'elle-même la force nécessaire pour faire face à cette rencontre inattendue. Deux jours… elle devait tenir deux jours…

Poussant un soupir, Sam jeta un coup d'œil à sa montre et vit qu'il était déjà tard. Après avoir quitté à regret son lit, elle se dirigea vers la salle de bains où elle passa quelques minutes à se remaquiller. En dépit des blessures du passé, la vie suivait son cours, se dit-elle pour se rassurer. Elle allait rejoindre les autres et continuer à faire comme si de rien n'était.

Malgré son appréhension, Sam trouva le dîner très divertissant. Cela faisait des années que Ransom n'avait pas rencontré la famille Hunt, et il avait donc une foule d'anecdotes savoureuses à leur raconter sur sa vie au palais de justice.

Le repas terminé, ils prirent le café dans le salon. Ransom venait de reposer sa tasse quand il reçut un appel sur son portable.

— Veuillez m'excuser. Ça doit concerner une affaire en cours, précisa-t-il avant de se diriger à grands pas vers le bureau pour s'isoler.

Pendant ce temps, Ellen sortit toute une collection d'albums photos et Sam vint s'asseoir à son côté pour les regarder. En voyant les mines déconfites d'Alex et Karl lorsque leur mère, exhibant des clichés d'eux bébés et les commentant avec force détails, la jeune femme ne put s'empêcher d'éclater de rire.

— Maman, je t'interdis formellement de lui montrer celle où je suis sur la peau de buffle ! lui intima Alex.

— Oh, pourtant tu es si mignon sur celle-là, le taquina Karl avant d'éclater de rire, tandis qu'Alex pestait de plus belle.

— On va assister à un meurtre ? demanda Ransom en revenant dans la pièce.

Ellen lui fit signe de les rejoindre.

— Oh, Ransom, il faut absolument que vous voyiez cette photo !

— Non, maman ! gémit Alex.

En souriant, Ransom vint se placer derrière le canapé et regarda le cliché par-dessus l'épaule d'Ellen.

— Oh, je vous déteste tous ! maugréa Alex en se laissant tomber en arrière.

David tendit un verre à chacun de ses fils.

— Courage, les garçons ! Prenez un cognac et restez dignes ! Ne laissez surtout rien paraître !

— Je crois qu'en ce qui concerne Alex, c'est trop tard ! Il n'a plus grand-chose à cacher, ironisa Ransom avec un malin plaisir.

Troublée par sa présence derrière elle, Sam avait de plus en plus de mal à se concentrer sur les photos. L'odeur subtile de son après-rasage, une eau de Cologne fraîche et légèrement épicée, lui rappelait les nuits torrides dans ses bras, et elle frissonnait chaque fois que son souffle lui caressait la nuque. S'obligeant à diriger de nouveau son attention sur les albums, elle se réprimanda en silence pour la faiblesse dont elle faisait preuve.

— Ah, Ransom ! Voici la seule photo que nous ayons de toi avec Karl, annonça Ellen.

Le cliché, pris à la plage, représentait deux jeunes hommes occupés à creuser le sable avec des pelles et portant en guise de chapeaux des foulards aux pointes nouées.

— On ne dirait pas qu'ils étaient déjà étudiants, n'est-ce pas ? dit-elle à l'adresse de Sam.

Celle-ci se rapprocha pour examiner la photo.

— Que faisiez-vous ? Un château de sable ? demanda-t-elle d'un ton facétieux.

Au moment où elle tournait la tête en direction de Ransom, celui-ci se pencha pour mieux voir lui aussi et elle se retrouva nez à nez avec lui, le souffle coupé par l'émotion.

— Un bateau, bien sûr ! répondit-il avec vivacité, un éclat moqueur dans ses beaux yeux gris.

En tendant le bras pour mieux orienter l'album, Ransom effleura la joue de Sam. La décharge d'électricité qu'elle reçut la foudroya sur place, et un gémissement étranglé s'échappa de ses lèvres. Certaine qu'on l'avait entendue, elle jeta un coup d'œil autour d'elle, mais personne ne la regardait. Son soulagement fut cependant de courte durée.

— Désolé ! Je ne pensais pas vous avoir fait mal. Ma chevalière vous aurait-elle écorchée ?

Elle tourna la tête vers Ransom et sursauta légèrement en lisant dans ses yeux pétillant de malice que son geste avait été délibéré.

— Non, ça va très bien, lui répondit-elle avec froideur.

Bon sang, pourquoi Ransom avait-il encore une telle emprise sur elle ? Quand allait-elle cesser de s'enflammer au moindre frôlement ? Cela n'avait aucun sens !

Elle prit soudain conscience que tout le monde la dévisageait d'un air amusé et sentit ses joues s'empourprer.

— Pardon, j'ai raté quelque chose ? balbutia-t-elle.

Alex lui fit un grand sourire.

— Tu veux dire que tu n'as même pas vu charger le troupeau de gnous ? demanda-t-il d'un ton moqueur, pour relever gentiment sa distraction.

— N'exagère pas, il n'y en avait qu'une douzaine ! rétorqua Sam en riant, après avoir recouvré ses esprits.

Du coin de l'œil, elle vit Ransom se diriger vers le chariot à boissons et se verser une grande rasade de whisky, qu'il vida d'un trait. Pourquoi semblait-il avoir besoin d'un remontant ? Se pourrait-il qu'il ait été aussi troublé qu'elle par cette caresse ?

*
* *

Quand elle regagna sa chambre un peu plus tard, Sam n'était pas plus avancée. Exténuée, elle s'adossa à la porte et poussa un profond soupir de lassitude. Après une journée aussi éreintante, elle ne rêvait que d'une chose : abréger sa visite chez les Hunt. Mais quel motif pouvait-elle invoquer ? Aucun ne lui paraissait valable. Puisqu'elle semblait condamnée à passer le week-end dans la même maison que Ransom, elle devait s'arranger pour limiter les contacts avec lui…

Elle sentit son cœur se serrer en songeant que c'était peut-être lui qui déciderait de quitter la maison des Hunt plus tôt que prévu. Même si sa présence était une véritable torture, Sam n'avait au fond d'elle-même aucune envie qu'il parte…

Aussitôt sa toilette terminée, elle se mit au lit et éteignit la lumière, avec l'espoir qu'une nuit de sommeil réparatrice lui permettrait d'affronter sans faiblir la journée du lendemain.

Sam rinça la casserole dans laquelle elle venait de faire bouillir du lait, et déposa sa tasse fumante sur la table de la cuisine. L'horloge murale indiquait 2 h 15 du matin. Autant dire adieu au sommeil, pensa-t-elle avec amertume, tout en s'asseyant et en posant ses pieds nus sur le barreau de la chaise d'à côté.

Elle n'avait cessé de se retourner dans son lit, le cerveau trop actif pour permettre à son corps fatigué de se détendre. En désespoir de cause, elle s'était dit qu'une tasse de lait chaud pourrait peut-être l'aider à s'endormir, et elle s'était rendue le plus discrètement possible dans la cuisine.

Un léger craquement la fit soudain sursauter. Sur le qui-vive, elle tendit l'oreille. Mais, n'entendant plus d'autre bruit, elle finit par relâcher son attention. Après tout, elle avait descendu l'escalier à pas de loup ; il était donc peu probable qu'elle ait réveillé quelqu'un. Et dans une maison aussi ancienne, il ne fallait pas s'étonner que la charpente craque.

Entre deux gorgées de lait chaud, Sam laissa échapper un soupir désabusé. Elle savait bien ce qui l'avait tenue éveillée : six ans après, toute la douleur de la séparation était là, tout le poids de la culpabilité aussi… En revenant en Angleterre, elle s'était promis d'éviter tous les endroits qui pourraient lui rappeler son histoire avec Ransom. Mais la vie s'était chargée de réveiller les fantômes du passé, et depuis qu'elle l'avait revu, les souvenirs ne cessaient de la hanter, de jouer sans relâche avec ses nerfs.

Elle passa nerveusement la main dans ses cheveux, comme elle l'avait fait un nombre incalculable de fois au cours des dernières heures. Soudain, elle entendit un cliquetis, et son sang ne fit qu'un tour quand la porte de la cuisine s'ouvrit pour laisser paraître Ransom. Après avoir fermé la porte derrière lui, il s'y adossa pour l'observer. Pieds nus et torse nu, un jean usé pour unique vêtement, il était plus sexy que jamais. Les sens en ébullition, le cœur battant à une vitesse folle, Sam oublia pendant un instant le reste du monde avant de se redresser brutalement sur sa chaise.

— Que fais-tu ici ? demanda-t-elle d'un ton glacial.

— Je suis là pour notre petite conversation, répondit-il d'une voix douce. Tout le monde dort : il y a donc peu de risques que nous soyons dérangés.

Et bien entendu, pesta intérieurement Sam, il se moquait de savoir s'il l'importunait ou non…

— On s'est déjà tout dit ! lui lança-t-elle.

Puis elle fronça les sourcils.

— Et d'abord, comment as-tu fait pour savoir où j'étais ?

Un sourire insolent se dessina sur les lèvres de Ransom.

— Je t'ai entendue sortir de ta chambre et je t'ai suivie, expliqua-t-il en croisant les bras avec désinvolture, ce qui eut pour effet de gonfler les muscles de son torse.

Sam mit quelque temps avant de réagir.

— Comment as-tu pu m'entendre ? répliqua-t-elle, alarmée. Je n'ai fait aucun bruit.

— Peut-être, mais étant donné que j'occupe la chambre voisine…

Elle ouvrit de grands yeux.

— Quoi ! balbutia-t-elle. Tu dors juste à côté ?

Elle croyait être la seule à loger dans cette partie de la maison. Savoir Ransom si proche la mettait soudain très mal à l'aise. Voyant sa surprise, il arbora un large sourire ironique.

— Tu calcules tes chances de succès ? Désolé de te décevoir, mais je ne te rendrai pas visite.

Sam fut envahie par une bouffée de colère.

— Comme si j'en avais la moindre envie ! assena-t-elle d'un ton cinglant.

Le sourire de Ransom se fit plus ironique encore.

— Pourtant, je jurerais que je ne te laisse pas indifférente.

Il avait raison, mais son audace la laissa sans voix. Il profita de son silence pour enchaîner :

— Figure-toi que la cloison est très fine. Je t'ai entendue te tourner et te retourner dans ton lit.

Sam se leva d'un bond, indignée.

— Comment oses-tu m'espionner ainsi ?

Il s'avança vers la table.

— Parle moins fort, Sam. Tu vas réveiller tout le monde, la réprimanda-t-il avec calme.

Il attrapa une chaise et s'assit face à elle.

— Très sexy, ce déshabillé de soie. Cela dit, je crois me souvenir que tu es encore plus appétissante nue, ajouta-t-il d'un air provocant.

Aussitôt, les sens de Sam s'affolèrent et son cœur se mit à battre à coups redoublés. Irrésistiblement attirée par la vision du torse bronzé de Ransom, elle brûlait d'envie de toucher sa peau… Et pendant qu'une partie d'elle-même le maudissait d'avoir jugé bon de ne rien revêtir d'autre que ce jean, l'autre se délectait du spectacle de son corps à moitié dévêtu. Prenant soudain conscience qu'elle le dévorait des yeux, elle détourna précipitamment la tête.

— Arrête, Ransom ! Tu n'es pas là pour flirter avec l'ennemi.

— C'est ainsi que tu te vois ? demanda-t-il en riant. Je trouve ça très instructif…

Comme avec un témoin dans le prétoire, il jouait avec elle au jeu du chat et de la souris, et elle était de plus en plus irritée par son attitude.

— Viens-en au fait ! s'écria-t-elle d'un ton brusque avant de se reprocher aussitôt son manque de sang-froid.

Ransom rit de nouveau.

— Vas-tu enfin t'asseoir ou préfères-tu continuer à exhiber ce corps magnifique ?

Bien que très tentée de le gifler, elle finit par se rasseoir.

— Tu es si belle, Sam. Encore plus belle qu'il y a six ans. L'argent te va comme un gant. Quand je pense que tu as quitté l'Angleterre sans fortune et que tu possèdes maintenant des millions. Toutes mes félicitations pour cette brillante réussite !

Seul Ransom pouvait dresser un bilan aussi sordide de ses années de mariage.

— Que tu le croies ou non, je n'ai jamais pris mon mariage à la légère, dit-elle sèchement.

Il lui sourit avec dédain.

— Bien sûr que non ! Il aurait été dommage que ton union avec ce vieillard plein aux as se solde par un divorce ! Mais je voudrais que tu m'éclaires sur un point. Comment peux-tu prétendre que ton époux te manque, alors que tout à l'heure, ton corps a réagi si violemment à mon contact ?

Sam ne pouvait pas trahir la promesse faite à Leno six ans plus tôt. Elle avait juré sur l'honneur qu'elle ne dévoilerait jamais son secret, et elle continuerait à tenir parole.

— Comme je te l'ai déjà dit, on n'a pas besoin d'être amoureux pour être attiré par quelqu'un, se contenta-t-elle de répondre.

Le regard de Ransom se fit dur comme l'acier.

— C'est ce que j'ai découvert grâce à toi. Tu t'es montrée très claire à l'époque : tu n'étais avec moi que pour le sexe. Vas-tu m'annoncer que tu as changé d'avis et que, finalement, tu m'aimais ?

Sam eut l'impression qu'on lui arrachait le cœur.

— Pourquoi ferais-je ça ? demanda-t-elle sans comprendre où il voulait en venir.

Il esquissa un sourire.

— Tu pourrais vouloir reconsidérer les choses, maintenant que tu sais que je suis un riche célibataire. Toutes les occasions sont bonnes à saisir pour les femmes de ton espèce.

Devant la profondeur de son mépris, elle sentit son sang se glacer et dut lutter de toutes ses forces pour lui répondre calmement :

— Tu penses vraiment que je perdrais mon temps de cette façon ? lança-t-elle d'un ton sarcastique. Je sais très bien que tu me détestes.

A sa grande surprise, il eut un sourire amusé.

— Te détester ? Oh, non, chérie, ça fait longtemps que j'ai dépassé ce stade. Aujourd'hui, je ne pense presque plus jamais à toi.

Piquée au vif, elle lui jeta un regard incendiaire.

— Et pourtant, tu es encore attiré par moi, répondit-elle instinctivement.

C'était un coup d'épée dans l'eau. Loin de sembler décontenancé, Ransom hocha la tête d'un air fataliste.

— Je dois avouer que je ne m'y attendais pas. Cependant, je ne suis pas à la recherche d'une épouse, aussi belle et riche soit-elle.

Sam le regarda droit dans les yeux.

— Alors tout est parfait, car je ne cherche pas non plus à remplacer mon mari.

Il lui adressa un regard méprisant.

— Pardonne-moi si j'ai du mal à te croire. Je te connais trop bien pour te faire confiance.

— Je ne t'ai jamais rien promis, Ransom.

— Non, tu as tout simplement menti.

Sam baissa les yeux sur sa tasse de lait qui refroidissait. Certes, elle lui avait menti, mais pas de la manière qu'il croyait…

— Je suis désolée de t'avoir blessé, mais remuer le passé ne nous mènera nulle part.

— Je ne m'intéresse pas au passé mais à l'avenir. Je me demande ce que tu manigances cette fois-ci.

Elle perdit de nouveau son calme.

— Combien de fois faudra-t-il que je te dise que je ne manigance rien ?

— Jusqu'à ce que tu réussisses à me convaincre, répondit-il d'un ton glacial.

Elle se recroquevilla sur son siège, croisant les bras pour dissimuler le tremblement de ses mains.

— Je t'ai présenté mes excuses pour le mal que je t'ai fait. Je t'ai également assuré que tu n'avais rien à craindre de moi, pas plus qu'Alex d'ailleurs. Qu'est-ce que tu veux de plus ?

Ransom fit mine de réfléchir.

— Tu pourrais partir, suggéra-t-il avec une douceur affectée.

— Tu peux toujours courir ! s'écria-t-elle. Si tu ne supportes pas de passer le week-end dans la même maison que moi, alors c'est toi qui vas devoir partir !

Ransom secoua vivement la tête.

— Pour te laisser le champ libre ? Merci bien. Qui sait ce que tu pourrais inventer !

— Tu as un de ces culots ! dit-elle la gorge serrée, la déception se mêlant à la colère. Je ne suis pas une coureuse de dot !

Le visage de Ransom s'assombrit.

— Vraiment ? J'ai pourtant l'impression que tu es capable de tout.

Elle réussit à retenir les larmes qui lui brûlaient les yeux.

— Alors tu dois te dire que tu l'as échappé belle…

— C'est ainsi que je vois les choses depuis longtemps, confirma-t-il.

Sam eut un haut-le-cœur, mais elle s'efforça néanmoins de contenir ses émotions.

— Je peux savoir ce que tu comptes faire, maintenant ?

Ransom la regarda fixement.

— Rien, à la condition que tu ne touches pas à Alex, finit-il par répondre. Dans le cas contraire, je me verrai contraint de lui révéler tout ce que je sais de toi.

— Ce n'est pas ce qu'on appelle du chantage ?

— Ou alors du bon sens. Quelle est ta réponse ?

Etant donné qu'elle ne nourrissait aucun plan machiavélique concernant Alex ou lui-même, elle n'avait aucune raison de refuser.

— D'accord, dit-elle simplement.

Le sourire de Ransom se teinta de moquerie.

— J'en étais sûr. Tu as peur que je déforme la vérité ?

— Oh, non ! rétorqua-t-elle. Les avocats ne mentent jamais, c'est bien connu. Et toi encore moins que les autres !

— Dommage que je ne puisse pas dire la même chose de toi, chérie, répliqua-t-il avant de se lever.

— Arrête de m'appeler comme ça, fit-elle avec brusquerie. Je ne suis plus ta chérie depuis longtemps.

— Je suis vraiment désolé, s'excusa-t-il avec une mauvaise foi évidente. Que veux-tu, les vieilles habitudes ont la vie dure !

— J'espère au moins que ton petit jeu sadique te procure du plaisir !

— Si tu veux tout savoir, dit-il avec un grand sourire, je trouve ça plutôt amusant de me retrouver de l'autre côté de la barrière.

Sam se leva d'un bond et alla verser le contenu de sa tasse dans l'évier.

— Tu ne penses jamais que tu pourrais faire fausse route ? demanda-t-elle d'un ton amer tout en rinçant sa tasse.

Elle se tourna face à Ransom, attendant une réponse.

— A ton sujet ? C'est impossible, je te connais par cœur. J'aimerais te dire que j'ai été heureux de te revoir, ma chérie, mais on sait tous deux que ça n'est pas vrai. Pendant que j'y pense, essaie de ne pas faire trop de bruit en remontant te coucher, acheva-t-il avec ironie.

Sam ferma les yeux et s'appuya contre l'évier. La tension s'en allait lentement, remplacée par une tristesse infinie. Ransom avait tellement changé ! Et elle était en grande partie responsable de ce changement…

« Seigneur ! » songea-t-elle, les yeux brûlant de larmes. Le châtiment était encore plus terrible que ce qu'elle avait imaginé. Elle allait payer un lourd tribut pour le mal qu'elle lui avait fait…

Désormais parfaitement réveillée, Sam sortit en silence de la pièce et remonta les marches qui menaient à sa chambre, se préparant tant bien que mal à affronter de longues heures sans sommeil.

5.

Quand Sam se leva le samedi matin, la chambre était baignée de soleil et bruissait du gazouillis des oiseaux. L'esprit embrumé, elle se dirigea en soupirant vers la salle de bains et prit une longue douche dans l'espoir de chasser la fatigue de la nuit. Mais lorsqu'elle descendit prendre le petit déjeuner, après avoir enfilé son jean préféré et un débardeur de soie, elle ne se sentait toujours pas prête à affronter la journée.

L'estomac noué par l'appréhension, elle entra dans la salle à manger. Ransom se tenait debout devant le buffet. Vêtu lui aussi d'un jean, il portait un T-shirt blanc très sexy qui lui collait au corps comme une seconde peau. Malgré l'inquiétude qui la tenaillait, Sam ne put s'empêcher de frémir de plaisir en le voyant.

— Tiens, voilà la Belle au bois dormant. Bonjour ! lui lança Alex.

Tous les membres de la famille Hunt étaient assis autour de la table. Après avoir adressé un sourire à Alex, Sam s'approcha d'eux pour les saluer.

— Bonjour tout le monde. Excusez-moi pour l'heure tardive, ajouta-t-elle en se tournant vers Ellen.

— C'est le week-end, Sam, répondit la vieille dame en lui souriant. Vous avez bien le droit de vous reposer. Je vous en prie, allez vous servir. Prenez ce dont vous avez envie.

Sam se dirigea à contre-cœur vers le buffet, où se trouvait

toujours Ransom. Celui-ci se déplaça légèrement pour la laisser se servir.

— Alors, la nuit a été bonne ? s'informa-t-il d'un air moqueur.

— Très bonne, merci, répondit-elle poliment.

Au moment où Sam soulevait la cloche en métal argenté d'un plat, Ransom tendit le bras et leurs mains se touchèrent. Surprise, la jeune femme sursauta violemment et lâcha prise. La cloche retomba en un vacarme assourdissant et Sam sentit son visage s'empourprer.

— Je suis désolée, dit-elle en se tournant vers les Hunt.

— Permettez-moi de vous aider, lui proposa Ransom avec galanterie tout en soulevant le couvercle. Sinon, j'ai bien peur que toute l'argenterie y passe.

Puis il ajouta d'un ton à peine audible :

— Alors, on est sur les nerfs ce matin ?

Les mains tremblantes, elle prit une assiette et y déposa à l'aide de la pince quelques tranches de bacon grillé.

— Va-t'en ! souffla-t-elle entre ses dents.

— Ça paraîtrait plutôt étrange que je quitte la pièce au moment où tu arrives, chuchota-t-il.

Il souleva le couvercle d'un autre plat.

— Des œufs brouillés, peut-être ? lui demanda-t-il à voix haute, d'un ton plein de fausse sollicitude.

Bien que très tentée de lui envoyer le contenu du plat à la figure, Sam parvint, malgré sa colère, à se maîtriser.

— Reste ici si tu veux, mais va t'asseoir à la table et comporte-toi normalement, lui intima-t-elle.

— Un peu de pain grillé ? proposa Ransom en lui tendant la corbeille.

Sam saisit une tranche qu'elle faillit laisser tomber.

— C'est moi qui te rend si nerveuse ? lui demanda-t-il.

Tout en prenant une profonde inspiration, Sam lui jeta un regard incendiaire.

— Va au au diable ! maugréa-t-elle.

Il lui adressa un grand sourire.

— Tu devrais aller t'asseoir. Je viendrai te verser moi-même ton café, sinon tu risques de t'ébouillanter.

Ransom n'avait pas tort : elle était particulièrement maladroite ce matin. Tout irait mieux après une bonne tasse de café, mais d'ici là, il paraissait plus sage d'accepter ses services. Elle s'installa à table et commença à examiner avec inquiétude le contenu de son assiette. Pourquoi s'était-elle servie si copieusement ? Même avec la meilleure volonté du monde, elle ne pourrait jamais manger tout ça ! Elle se força à prendre une bouchée qu'elle avala péniblement tant sa gorge était serrée.

Puis, Ransom apparut avec le café. Au grand soulagement de Sam, il retourna aussitôt près du buffet après l'avoir servie. Elle se détendit un peu, et après avoir bu quelques gorgées de café, elle sentit son appétit se réveiller.

— Alors, quel est le programme du jour ? demanda Ellen à ses fils.

— Eh bien, Ransom va emmener Sam en balade sur son bateau, répondit Alex.

Stupéfaite, la jeune femme ouvrit de grands yeux.

— Quelle bonne idée ! commenta Ellen avec entrain. Vous voyez, Sam, nous avons bien fait de travailler sur le projet hier ! Comme ça, vous êtes libre comme l'air ! Et puis, avec Ransom, vous serez en bonnes mains.

— J'en suis sûre, mais je n'ai encore rien décidé, précisa-t-elle en lançant un regard plein de sous-entendus à Alex, qui se contenta de lui adresser un sourire espiègle.

— Il ne faut pas vous inquiéter. Ransom est un excellent navigateur, crut bon de souligner Ellen, se méprenant sur les raisons de son hésitation.

— Je n'en doute pas une seule seconde. Cependant, Karl et lui ont sans doute d'autres projets, dit-elle.

— Et moi, je suis convaincue que notre ami se fera un plaisir de vous initier aux joies de la navigation, insista Ellen avec un grand sourire.

— J'aurais moi-même été ravi de vous proposer une petite balade en mer, précisa Karl. Mais je dois participer à une réunion du cercle nautique, ce matin.

Ransom s'approcha de la table et vint embrasser Ellen sur la joue.

— Comme toujours, vous avez parfaitement raison, Ellen. J'accueillerai Sam à bord de mon voilier avec grand plaisir. Si tel est bien sûr son désir, ajouta-t-il.

Consternée, Sam avait l'impression d'être prise au piège. Elle n'avait pas la moindre envie de se retrouver seule avec Ransom, mais comment refuser cette invitation sans paraître grossière ?

— Volontiers ! finit-elle par dire d'un ton faussement enjoué.

Ransom lui adressa un sourire énigmatique.

— Je pars tout de suite me renseigner sur la météo et les horaires des marées.

Et soudain, il posa la main sur son épaule. Sam tressaillit, envahie par une brusque sensation de chaleur.

— Oh, pendant que j'y pense, couvrez-vous bien et prenez des vêtements de rechange, dit-il avant d'ôter sa main. Rendez-vous devant la maison… disons dans une demi-heure ?

— D'accord, fit-elle d'une voix étranglée.

Au moment où Ransom partait, David Hunt se leva.

— On ne va pas tarder non plus. Ellen voudrait qu'on aille faire les magasins à Norwich.

— Nous vous aurions volontiers proposé de nous accompagner, Sam, mais vous vous amuserez bien plus avec Ransom, ajouta sa femme avec un sourire malicieux.

— Nous ne serons pas de retour avant la fin de l'après-midi.

Profitez de cette belle journée et ne vous noyez pas, la taquina David avant de quitter la pièce avec sa femme.

Quand ils furent partis, Sam se toucha l'épaule à l'endroit où Ransom avait posé sa main. Elle avait l'impression de sentir encore l'empreinte de ses doigts, gravée au fer rouge sur sa peau.

— J'aurais préféré que tu ne t'en mêles pas, dit-elle à Alex d'un ton réprobateur.

— Je pensais que ça te ferait plaisir, répondit-il d'un air penaud. Elle fit une légère grimace et secoua la tête.

— Oh, Alex ! fit-elle avec une légère grimace. Je suis certainement la dernière personne que Ransom souhaite voir monter sur son bateau !

Son ami haussa les sourcils, l'air interloqué.

— Qu'est-ce que tu racontes ?

Tout en se passant la main dans les cheveux, Sam poussa un profond soupir.

— Tu ne lui a même pas laissé le choix ! Comment voulais-tu qu'il refuse sans passer pour un mufle ?

— Crois-moi sur parole, répondit Alex en souriant. Beaucoup d'hommes rêveraient de se retrouver seuls sur un voilier avec une aussi belle femme que toi.

Sam ne put s'empêcher de répondre à son sourire.

— Merci pour le compliment. Mais n'oublie pas que je n'ai aucune expérience en matière de navigation. Ça risque d'être une vraie corvée pour lui.

— Certainement pas. Je suis persuadé que tu vas très bien te débrouiller, insista Alex. En plus, Ransom est le meilleur professeur qui soit.

Elle fronça les sourcils d'un air perplexe.

— J'espère qu'il ne va pas avoir des envies de meurtre ! dit-elle en franchissant le seuil de la porte. Et toi, qu'est-ce que tu as prévu pour aujourd'hui ?

— Oh, je vais sûrement sortir prendre un verre avec quelques copains.

— Ne bois pas trop et pense à moi !

— D'accord. Surtout, amuse-toi bien ! lui lança-t-il.

En montant les marches qui menaient à sa chambre, Sam songea le cœur serré qu'elle venait de commettre une erreur fatale. Mon Dieu ! Il fallait qu'elle soit folle à lier pour avoir accepté de se retrouver pendant plusieurs heures en tête à tête avec l'homme qui la détestait le plus au monde ! Ils couraient à la catastrophe... Il ne lui restait plus qu'à prier très fort pour que cette petite excursion ne tourne pas au cauchemar.

Dix minutes plus tard, elle quitta sa chambre après avoir pris quelques vêtements et sortit voir si Ransom était prêt à partir. Elle le trouva dehors, en pleine conversation avec Alex. En l'entendant arriver, les deux hommes tournèrent la tête dans sa direction, et Sam devina à leur expression qu'ils étaient en train de parler d'elle.

— Prête ? lui demanda Ransom.

— Autant que possible, répondit-elle en hochant la tête.

Alex ouvrit la portière passager du Land Rover et elle monta à l'intérieur. Il lui fit un petit signe d'encouragement au moment où la voiture démarrait.

— Je pensais que tu renoncerais à venir, lui dit Ransom d'un ton coupant quand ils se furent éloignés de la propriété.

Sam gardait les yeux rivés sur la route.

— J'avoue que l'idée m'a traversé l'esprit. Mais si j'avais refusé, tu aurais imaginé que je voulais rester seule avec Alex pour le séduire. Je n'avais guère le choix.

— Tout comme moi ! fit-il remarquer d'un ton ironique en négociant un virage serré. Pour en revenir à Alex, je me demande ce que tu as bien pu lui dire à mon sujet.

— Comment ça ?

La mâchoire de Ransom se contracta.

— Apparemment, il pense que je vais profiter de cette balade pour tenter ma chance avec toi. J'ai failli lui répondre que je ne te toucherais pas, même avec des gants, mais il m'aurait fallu fournir une explication.

Sam sentit son cœur se serrer.

— Qu'est-ce qui t'en empêchais ?

— Tu n'as pas encore trahi notre accord. Pour l'instant, j'ai donc les mains liées.

Pour l'instant… En dépit de tout ce qu'elle avait pu lui dire, il demeurait convaincu qu'elle ne résisterait pas longtemps à la tentation de prendre Alex dans ses filets.

— Tu étais moins méfiant autrefois. Tu as bien changé…

Il éclata d'un rire cynique.

— C'est vrai. Je me demande d'ailleurs pourquoi. Ah, oui ! Je me rappelle. Une femme s'est fichue de moi il y a six ans. Dieu merci, il n'y avait pas grand-chose entre nous. Je l'ai vite oubliée.

Il n'y avait pas grand-chose entre nous… Sam sentit une profonde douleur l'étreindre. Comment pouvait-il dire ça ? Elle lui avait donné tout son amour ! Quand elle avait été contrainte de renoncer à lui, son univers s'était écroulé.

— Vraiment ? rétorqua-t-elle. Je te trouve bien amer pour quelqu'un qui a si vite oublié.

Ransom lui décocha un regard noir.

— Quand je t'ai vue hier, le passé a brutalement refait surface. Je me suis rappelé la manière dont tu m'avais ri au nez quand je t'avais demandé de m'épouser. Tu avais même eu le culot de préciser que seul le sexe t'intéressait.

— Je n'ai jamais dit ça ! s'écria-t-elle, indignée.

— Tu m'as dit que tu voulais juste passer de bons moments avec moi, ce qui revient au même. Tu t'es moquée de moi, Sam. Mais rassure-toi, je ne laisserai plus jamais aucune femme m'humilier.

— Ne blâme pas toutes les femmes à cause du mal que je t'ai fait. Tu comptes toujours te marier un jour, pas vrai ?

— Seulement si je trouve une femme qui m'inspire une totale confiance.

— Je suis sûre que tu ferais un bon mari et un bon père.

— C'est toi qui dis ça ? On croit rêver !

— Peut-être que je ne voulais pas... les mêmes choses que toi, lança-t-elle d'un ton brusque. Mais ça ne signifie pas pour autant que je te crois incapable de rendre une femme heureuse et d'élever une famille.

Il se mit à rire.

— Si je ne te connaissais pas aussi bien, j'aurais l'impression que tu te fais du souci pour moi.

Ransom ralentit en entrant dans la marina, saluant quelques personnes au passage. L'endroit était très animé et ils mirent un moment avant de trouver une place de stationnement. Après s'être garé, Ransom coupa le moteur et tourna la tête dans sa direction.

— Dis-moi, s'enquit-il d'un ton sarcastique, en toute franchise, c'était aussi sensationnel que ça d'être mariée à un homme assez âgé pour être ton père ?

Sam se sentit envahie par la colère.

— Ça ne te regarde absolument pas ! Et que tu le croies ou non, mon époux me manque !

Il haussa les sourcils d'un air sceptique.

— Pourtant, je suis prêt à parier que si je t'embrassais, tu l'oublierais en un clin d'œil !

Malgré sa colère, Sam ne put s'empêcher d'imaginer ce baiser et tout son corps frémit de plaisir. Mon Dieu ! Le pire était qu'il avait raison !

— Tu peux dire tout ce que tu veux. Ce ne sont que des paroles en l'air...

Elle vit une lueur d'hésitation dans les beaux yeux argentés de Ransom.

— Allez ! Il est temps de passer à l'action ! dit-il avec un sourire narquois, avant de descendre de voiture en claquant la portière derrière lui.

Sam s'affaissa dans son siège, médusée. Que se passait-il ? Elle n'avait pas rêvé : il avait réellement envisagé de l'embrasser !

Soudain, elle sursauta en voyant le visage de Ransom à la vitre de sa portière.

— Qu'attends-tu pour sortir ? Quelque chose ne va pas ? lui demanda-t-il avec une ironie à peine voilée.

S'il avait été à portée de main, elle l'aurait sans doute giflé.

— Tant que tu n'es pas dans les parages, tout va pour le mieux ! rétorqua-t-elle d'un ton acerbe avant de sortir à son tour du véhicule.

— C'est bon ? Tu as tout ? lui demanda Ransom, qui avait déjà sorti ses propres affaires du coffre.

Elle acquiesça.

— Mon voilier est de ce côté-ci, dit-il avec un signe de tête.

Puis, il jeta son sac par-dessus son épaule et partit sans l'attendre. Sam pesta en le voyant s'éloigner. Tandis qu'elle hâtait le pas pour le rattraper, elle ne put s'empêcher de pouffer de rire en songeant qu'elle devait avoir l'air ridicule à trotter ainsi derrière lui comme un petit chien.

Ransom tourna la tête.

— Qu'est-ce qui t'amuse tant ? lui demanda-t-il d'un air suspicieux.

Elle se mordit la lèvre pour ne pas éclater de rire.

— Rien, rien, dit-elle en secouant la tête.

— Qu'est-ce que tu mijotes ? demanda-t-il en fronçant les sourcils.

Elle le regarda d'un air innocent.

— Tu te fais encore des idées !

Il posa la main sur son épaule, et elle sentit ses genoux fléchir.

— Si tu imagines pouvoir me planter là et t'enfuir, tu te trompes lourdement.

— Tu me prêtes des intentions que je n'ai pas, dit-elle d'un ton angélique.

Il eut un rire désobligeant.

— C'est ça, prends-moi pour un idiot ! Je veux garder un œil sur toi. Je préfère que tu ouvres la marche.

Il la poussa doucement devant lui.

— Je ne connais pas le chemin ! protesta Sam, qui sentait toujours la chaleur de sa main sur son épaule.

— Continue tout droit ! Mais arrête-toi avant de tomber à l'eau, ajouta-t-il d'un ton moqueur.

— Sans blague ! Je n'y aurais pas pensé.

— Et essaie de rester debout, dit-il tandis qu'elle trébuchait sur un cordage.

— Tu es mon ange gardien. Que ferais-je sans tes précieux conseils ? répondit-elle d'un ton sarcastique.

— Mon seul désir est de te satisfaire, rétorqua-t-il en riant.

Sam se retourna et lui jeta un coup d'œil malicieux.

— Et nous savons tous deux que tu es très doué pour ça ! ajouta-t-elle d'un air coquin.

Un flot de sang envahit aussitôt son visage. Elle avait parlé sans réfléchir, oubliant l'espace d'un instant que ce genre de plaisanteries entre Ransom et elle appartenait au passé.

— Je trouve de tels propos très déplacés dans la bouche d'une veuve éplorée. Surtout quand elle vient de m'affirmer que son mari lui manquait.

Sam grimaça.

— Ça n'a rien à voir. J'ai simplement oublié, l'espace d'un instant, avec qui j'étais.

— Alors même que tu me regardais ?

— Peut-être que je te regardais, mais je pensais à Leno.

Elle continua d'avancer en silence. « Quelle idiote ! » se

réprimandait-elle à chaque pas. Qu'est-ce qui lui avait pris de plaisanter ainsi avec lui ? Maintenant, il allait s'imaginer qu'elle lui faisait des avances…

— Excuse-moi de t'interrompre pendant que tu communies avec ton défunt mari, reprit bientôt Ransom d'un ton léger, mais tu me rendrais un grand service en évitant de te déhancher ainsi.

Elle s'arrêta et le regarda, abasourdie.

— Je marche tout à fait normalement. Je ne me déhanche pas !

— Oh que si ! Vu sous cet angle, c'est flagrant. Et très sexy…

Elle en eut le souffle coupé.

— Va au diable ! Tu n'as pas à regarder mes fesses !

Qu'arrivait-il à Ransom ? Pourquoi flirtait-il avec elle ?

— Désolé, mais je ne suis pas un moine.

— Alors imagine que moi, je suis une nonne ! rétorqua-t-elle exaspérée.

Avec une irritation mêlée de désespoir, elle le regarda éclater de rire. Il avait l'air si détendu, si insouciant…

— Je ne pense pas en être capable, dit-il en secouant la tête, pris d'un autre fou rire.

Sam ne put s'empêcher d'être gagnée par sa bonne humeur.

— Tu n'es pas drôle, protesta-t-elle en riant à son tour.

Après s'être un peu calmé, Ransom lui montra le chemin.

— On n'est plus très loin. Marche devant, je te promets de garder les yeux rivés au sol. C'est la jetée suivante. Mon bateau est amarré à mi-parcours.

Elle suivit docilement ses instructions.

— Ton voilier porte-t-il un nom ?

— Oui. Tu peux peut-être deviner lequel…

— Le Nausicaa ? suggéra-t-elle. Ou alors Le Poséidon !

— Pense à quelque chose de plus en rapport avec notre

situation, dit-il en désignant d'un mouvement de tête un magnifique bateau.

Sam contempla les lignes pures du voilier et son cœur s'affola quand elle lut, peint en lettres noires sur sa coque : La Belle Inconstante.

— Je n'ai pas hésité longtemps avant de l'acheter. J'ai tout de suite vu dans son nom un signe du destin. Le précédent propriétaire s'était fait larguer lui aussi, expliqua Ransom tout en montant à bord.

Puis il tendit la main à Sam, qui ne put faire autrement que de la prendre. Elle se sentit aussitôt inondée par une vague de chaleur qui lui coupa la respiration, mais elle parvint à cacher son émotion. Elle comprit cependant, à la lueur qui brillait dans les yeux de Ransom, qu'il ne s'était pas laissé abuser.

— Pourquoi n'as-tu pas changé le nom ? demanda-t-elle en s'écartant de lui pour reprendre son souffle.

Il la regarda froidement.

— Pour éviter de faire deux fois la même erreur, rétorqua-t-il, avant de descendre l'escalier qui menait à la cabine principale.

Elle le suivit sans rien dire.

— Mets tes affaires dans un des casiers. J'ai quelques réglages à faire avant qu'on ne lève l'ancre. Profites-en pour faire un petit tour et remonte sur le pont quand tu seras prête.

Quand il fut parti, Sam poussa un profond soupir. Depuis qu'ils avaient quitté la maison des Hunt, Ransom ne se comportait pas du tout comme elle l'avait imaginé. A part quelques coups de griffes, il s'était montré plutôt affable, allant jusqu'à flirter avec elle. Que cachait donc son attitude ?

Après avoir rangé rapidement ses affaires, elle passa une quinzaine de minutes à explorer le bateau. Il était en parfait état et très bien équipé, et Sam songea qu'en d'autres circonstances, elle aurait sans doute aimé passer quelques jours à bord. Elle retourna ensuite dans la cabine principale et écouta Ransom s'affairer au-dessus de sa tête. Que devait-elle faire ? Remonter ou rester ici ?

N'ayant aucune envie de lui donner l'impression qu'elle cherchait à l'éviter, elle décida de le rejoindre. Elle pourrait au moins profiter de la vue, et peut-être même se rendre utile.

Au moment où elle arrivait sur le pont, Ransom larguait les amarres.

— Je commençais à croire que tu t'étais perdue, dit-il en sautant d'un bond sur le bateau.

— Je peux t'aider ?

— J'ai fini, merci, répondit-il en se dirigeant vers la barre, avant de mettre en marche le moteur.

Sam sentit son cœur battre plus fort tandis qu'ils s'éloignaient de la jetée.

— Tu ne déploies pas les voiles ? s'étonna-t-elle.

— Pas avant que nous soyons sortis du port. Etant donné le nombre de bateaux, je préfère m'en aller au plus vite. Mais quand on sera au large, on coupera le moteur et on hissera la grand-voile, dit-il avec un large sourire.

Sa joie d'être sur l'eau était presque palpable.

— Tu adores naviguer, n'est-ce pas ? lui demanda Sam.

Elle vit son sourire s'agrandir encore.

— C'est ce qu'il y a de mieux. A part le sexe, bien sûr, répondit-il en la regardant d'un air de défi.

— Je te dirai ce que j'en pense tout à l'heure, rétorqua-t-elle d'un ton sec.

Ils quittèrent lentement le port, et ce n'est qu'une fois au large que Ransom accéléra. La mer était un peu agitée, mais tandis que les embruns fouettaient ses joues et que le vent décoiffait ses cheveux, Sam se sentait revivre.

— C'est fabuleux ! s'exclama-t-elle ravie.

Elle jeta un coup d'œil en direction de Ransom. Il avait les yeux fixés sur elle, et elle vit briller dans son regard une étrange lueur qui s'évanouit avant qu'elle ait pu en interpréter le sens.

— Tu n'as pas le mal de mer ? demanda-t-il.

— Non, pas du tout.

— Alors tu dois avoir le pied marin. Tu veux hisser les voiles ?

Préférant comme toujours l'action à l'observation, Sam acquiesça.

— Qu'est-ce que je dois faire ? demanda-t-elle avec enthousiasme.

Ransom afficha un sourire espiègle.

— On dirait une petite fille à qui on a promis un bonbon.

Elle haussa les épaules en riant.

— Je ne me suis pas autant amusée depuis…

« Depuis notre séparation », songea-t-elle le cœur serré.

— Oh… depuis une éternité ! finit-elle par dire.

— Alors tiens-toi prête à manœuvrer le winch à mon signal, lui ordonna-t-il, avant d'arrêter le moteur et d'aller à l'avant du voilier.

— Vas-y ! lança-t-il quelques secondes plus tard.

Rapidement, la grand-voile commença à monter. Ransom vint à son aide pour les derniers mètres, puis il s'empara du gouvernail et dirigea le bateau de manière à ce que le vent fasse gonfler la voile. Ils prirent aussitôt de la vitesse.

— Oh ! C'est encore mille fois mieux, s'écria-t-elle. Il n'y a pas de mots. C'est…

— Je sais… Et une fois que tu as attrapé le virus, tu ne peux plus t'en passer.

Ils échangèrent un regard. Elle se sentait en parfaite harmonie avec lui. Elle mourait soudain d'envie de caresser son beau visage, d'embrasser les petites rides aux coins de ses yeux et de toucher délicatement sa bouche… La tentation devenant irrésistible, elle détourna brusquement la tête.

— Ça signifie que je vais devoir acheter mon propre bateau ? demanda-t-elle pour revenir en terrain sûr.

— Attends tout de même d'avoir pris quelques leçons ! répondit Ransom en riant. Je ne voudrais pas être responsable d'une noyade !

— Surtout que tu as la réputation d'être un excellent navigateur, ajouta-t-elle avec entrain. Au fait, tu voyages beaucoup ?

— Pas autant que je le voudrais, mais assez pour m'évader de ce monde de fous.

— J'ai entendu dire que tu avais ouvert ton propre cabinet, dit-elle d'un ton léger, comme si elle avait appris la nouvelle au détour d'une conversation.

La vérité était qu'elle savait presque tout de la carrière de Ransom. Après leur rupture, elle avait continué à s'intéresser à sa vie de très près, épluchant soigneusement la presse et les revues spécialisées.

Il haussa les sourcils d'un air surpris.

— Comment se fait-il que tu sois au courant ?

Elle eut un petit rire nerveux.

— En tout cas, ça m'a fait très plaisir pour toi. Tu as dû être fou de joie !

Ransom hocha la tête.

— Ça, oui ! Moi qui m'imaginais que la vie n'aurait plus de saveur sans toi ! Les événements m'ont largement prouvé que j'avais tort, ajouta-t-il d'un ton ironique.

Sam se sentit pâlir, mais une rafale de vent ramena ses cheveux sur son visage, dissimulant son trouble.

— Il faut savoir tourner la page, murmura-t-elle, le cœur serré.

— Tu n'es pas trop déçue ? Tu espérais sans doute que j'allais perdre le sommeil ?

— Non, pas du tout ! s'écria-t-elle, indignée. Je voulais à tout prix que tu te remettes au plus vite de notre séparation.

— Tu avais sans doute besoin d'apaiser ta conscience, ma chérie, suggéra-t-il d'un air sarcastique.

Elle le toisa avec irritation

— Tu as tout faux ! J'ai toujours su que j'avais fait ce qu'il fallait.

— Serais-tu prête à jurer que tu n'as pas eu le moindre regret ? demanda-t-il en haussant les sourcils. C'était pourtant torride entre nous…

Elle le fixa, abasourdie. Comment osait-il lui parler aussi crûment ?

— Tu n'es tout de même pas en train de me demander si j'ai regretté de ne plus faire l'amour avec toi ?

Il lui adressa un sourire séducteur.

— Pourquoi pas ? Après tout, tu adorais ça.

La gorge de Sam se serra.

— Désolée, mais ça ne m'a pas du tout manqué ! dit-elle entre ses dents.

Ce n'était pas le sexe, mais Ransom tout entier qui lui avait manqué ! Elle l'avait tant aimé… Elle avait éprouvé une telle douleur en l'abandonnant…

La vue brouillée par les larmes, elle luttait de toutes ses forces pour ne pas se laisser emporter par le tourbillon de ses émotions, quand elle trébucha sur un objet posé au sol. Ransom la rattrapa de justesse, et elle se retrouva la tête posée contre sa poitrine. Elle tressaillit violemment, envahie par une chaleur intense qui s'empara de tout son être. Enivrée par son odeur et les battements de son cœur, elle ressentit l'envie irrésistible de se blottir dans ses bras.

Consciente du danger, elle chercha à s'écarter de lui. Mais en levant la tête pour se dégager, elle fut transpercée par l'éclat des yeux gris de Ransom.

Sam entrouvrit les lèvres en laissant échapper un gémissement étranglé.

Comme s'il n'avait attendu que ce signal, Ransom s'empara de sa bouche et l'embrassa avec une fougue qui éveilla en elle un désir foudroyant. Affamée par des années de privation, elle répondit avidement à son baiser. Tandis que leurs langues se mêlaient, elle se sentait consumée par une passion dévorante et désespérée.

Soudain, le bateau fit une embardée et la voile claqua. Ransom l'abandonna pour se précipiter sur le gouvernail et Sam s'affaissa dans le siège le plus proche, le cœur battant à tout rompre. Elle parvint au prix d'un immense effort à se calmer et comprit alors qu'elle avait commis une grave erreur en laissant Ransom l'embrasser. Ce baiser avait libéré en elle des émotions qui auraient dû rester prisonnières, et il était désormais trop tard pour revenir en arrière...

Après avoir modifié la trajectoire du voilier, Ransom se tourna vers elle et la regarda d'un air moqueur.

— Qu'est-ce qui t'a pris de te jeter sur moi ? demanda-t-il.

— Tu dis n'importe quoi ! protesta-t-elle. J'ai trébuché, c'est tout. Et que je sache, rien ne t'obligeait à m'embrasser.

— C'est vrai, reconnut-il sèchement. Mais j'avais besoin de savoir...

— De savoir quoi ? soupira-t-elle, les nerfs à fleur de peau.

Ses yeux gris scintillèrent.

— Si ce serait aussi bon qu'autrefois. J'ai la réponse.

Sam le fixait sans pouvoir articuler un mot. Certes, ils connaissaient maintenant tous deux la réponse à cette question, mais quelle différence cela faisait-il ?

— Ce baiser..., finit-elle par dire. Ça ne veut rien dire. C'était juste...

— ... instinctif, acheva-t-il pour elle. Nous sommes toujours autant attirés l'un par l'autre, sauf qu'il n'y a plus d'amour. Enfin, je parle pour moi, car de ton côté, tu n'as jamais rien ressenti.

— Tu ne peux pas t'empêcher de revenir sans cesse là-dessus ? répliqua-t-elle, exaspérée.

Un sourire se dessina sur les lèvres de Ransom, moins insolent que celui auquel elle était maintenant habituée.

— Je me contentais de faire le point.

Sam cligna des yeux.

— Mais tu m'as déjà tout dit ! Je suis une paria, une femme que tu ne toucherais pas, même avec des gants !

— Je préférerais en effet utiliser mes mains nues, répondit-il tout en manœuvrant le gouvernail.

— Qu'est-ce que tu racontes ? lui demanda-t-elle, interloquée.

— Tu avoueras que les gants, ça n'est pas terrible pour les caresses.

— Je ne comprends rien ! s'écria-t-elle en frissonnant. Où veux-tu en venir ?

— Eh bien, disons que tout compte fait, j'aimerais bien reprendre là où nous en étions il y a six ans.

— Tu n'es pas sérieux ! s'exclama-t-elle, le cœur battant à tout rompre.

Ransom tourna la tête vers elle.

— Je n'ai jamais été aussi sérieux.

Sam porta une main à son front dans l'espoir d'arrêter le flot de pensées qui assaillaient son esprit.

— Mais tu ne m'...

— Si je t'aime ? la coupa-t-il, un sourire moqueur aux lèvres. Tu l'as dit toi-même. Il est inutile d'aimer quelqu'un pour le désirer.

Puis il se retourna, laissant Sam abasourdie.

— Tu m'as pourtant expliqué la nuit dernière que tu ne voulais plus rien avoir affaire avec moi, dit-elle.

— Et je le pensais... Mais cette fois, notre relation serait différente. Si tu n'as pas changé, moi, je ne suis plus le même homme, dit-il d'un ton nonchalant.

Sam avait l'impression que son cœur allait exploser. Quand

Ransom se tourna de nouveau pour la regarder, elle vit une flamme sombre briller dans ses yeux.

— Alors, notre petite promenade t'a plu ? demanda-t-il.

Elle sursauta.

— Oui, bien sûr.

— L'heure tourne, poursuivit-il en jetant un rapide coup d'œil à sa montre. Je te propose qu'on fasse demi-tour.

Une rafale de vent fit frissonner Sam.

— Oui, il est temps de rentrer, murmura-t-elle en se frottant les bras pour se réchauffer.

Elle alla s'asseoir à l'arrière du bateau, pour laisser à Ransom toute la place nécessaire pour manœuvrer. Son voilier et lui paraissaient ne faire qu'un, et elle se sentait parfaitement inutile.

Désœuvrée, elle songea avec tristesse à la proposition que Ransom venait de lui faire. Voulait-elle vraiment d'une relation sans amour ? Pourrait-elle accepter de n'être pour lui qu'un objet de plaisir ? En toute franchise, elle n'en savait rien. Tout ce dont elle était sûre, c'était que sa vie était brusquement devenue beaucoup plus compliquée…

6.

Une fois qu'ils furent rentrés au port, Ransom amarra son voilier et ils regagnèrent d'un pas rapide le Land Rover. Pendant le trajet du retour, Sam évita soigneusement le regard de son compagnon, contemplant en silence le paysage par la vitre de sa portière.

Tandis qu'elle profitait d'un feu rouge pour admirer l'architecture d'un très bel immeuble ancien, abritant une brasserie, elle reconnut Alex assis en terrasse.

— Oh, regarde ! C'est…

Sam s'apprêtait à baisser la vitre pour interpeller son ami quand elle vit une jeune femme arriver et venir s'asseoir près de lui.

— … Alex, compléta-t-elle.

Ransom tourna la tête et ouvrit de grands yeux en l'apercevant à son tour.

— Ça alors ! s'exclama-t-il.

Un coup de Klaxon derrière eux les informa que le feu était passé au vert. Ransom redémarra, adressant un petit signe d'excuse au conducteur.

— Tu la connais ? lui demanda-t-elle.

— Non, mais ils avaient l'air très complices. J'imagine que c'est une amie de longue date, dit-il sur un ton ironique.

— Oui, et même de très longue date, acquiesça-t-elle d'un air malicieux.

— Très proche aussi, ajouta Ransom. Au fait, Alex t'a parlé de ses anciennes conquêtes ?

Sam eut un soupir irrité.

— Nous n'avons pas ce genre de discussions. Il a droit à son jardin secret, comme tout le monde.

Ransom jeta un coup d'œil vers elle, un sourire insolent aux lèvres.

— Chez certains, ce n'est pas un jardin, c'est une forêt.

— Parle pour toi ! protesta-t-elle avec irritation.

Il eut un rire moqueur.

— Je te propose un marché : j'échange mes secrets contre les tiens. C'est d'accord ?

Elle le toisa d'un air méprisant.

— Tu peux toujours rêver !

Il rit de plus belle.

— Oh, Sam ! Tes réactions sont tellement prévisibles ! Pour en revenir à Alex, Karl m'a raconté qu'il avait été très amoureux d'une femme.

— Tu crois que ça pourrait être elle ? demanda-t-elle, piquée malgré elle par la curiosité.

Ransom haussa les épaules.

— Je n'en sais rien. Si ça se trouve, ils sont seulement amis.

Sam fronça les sourcils.

— Ça m'étonnerait. Elle était presque assise sur ses genoux.

— Ah ! Tu as remarqué, toi aussi. Avec un peu de chance, Alex va l'inviter à la maison pour le déjeuner et on en saura plus.

Sitôt rentrée, Sam monta dans sa chambre pour prendre une douche. Elle enfila ensuite un jean, un top à fines bretelles, et se rendit dans le patio où l'intendante de la maison, Mme MacFee, avait disposé un buffet froid. Lorsque Ransom descendit à son tour, elle vit que lui aussi s'était changé. Il portait un pantalon écru en toile légère et une chemise bleu pâle dont il avait retourné les manches.

Malgré des efforts désespérés pour se concentrer sur le contenu de son assiette, Sam avait le regard sans cesse attiré vers Ransom. Au moment où il porta à sa bouche un verre de vin blanc, elle se remémora en frissonnant le baiser qu'ils avaient échangé tout à l'heure. Comme il l'avait dit lui-même, c'était aussi bon qu'avant. Tellement bon qu'elle en aurait voulu davantage…

Oh, Seigneur ! Avec de telles pensées, elle était en très mauvaise posture. Alors qu'elle priait pour qu'un événement extérieur lui offre une diversion, elle entendit des bruits de voix provenant de l'intérieur de la maison. L'instant d'après, Alex entrait dans le patio, main dans la main avec la jeune femme de la brasserie.

Il s'approcha de la table, parfaitement à l'aise.

— Salut, vous deux ! Quelle matinée ! Je suis tombé par hasard sur mon amie Emma Saint John, que voici, et on n'a pas vu le temps passer. Comme elle n'avait rien de spécial à faire, je l'ai invitée à déjeuner. Emma, je te présente Ransom Shaw, un vieux copain de mon frère, et Sam Grimaldi, une amie de la famille, dit-il en guise de présentations.

— Bonjour ! lança Emma avec un sourire amical auquel Sam répondit chaleureusement.

— J'espère que vous avez faim. Madame MacFee s'est surpassée, précisa Sam en leur montrant le grand buffet de salades et de viandes froides.

Ransom se leva et salua la jeune femme avec un sourire charmeur. Ce sourire n'avait pas échappé à Sam, qui en ressentit un intense sentiment de jalousie. Heureusement, elle put reporter son attention sur Mme MacFee, qui entrait dans la pièce, deux chaises supplémentaires à la main. Puis, l'intendante s'éclipsa une seconde avant de revenir avec des verres et une autre bouteille de vin blanc.

— Merci. Vous êtes parfaite, la remercia Alex.

Mme MacFee quitta la pièce un grand sourire aux lèvres.

— Vous connaissez Alex depuis longtemps ? demanda Ransom à Emma.

— Oh, à peu près quatre ans. C'est bien ça, Alex ? s'enquit la jeune femme avant de tendre le bras vers le plateau qu'Alex lui présentait, caressant furtivement sa main au passage.

Ils échangèrent un tendre regard qui ne laissa à Sam aucun doute sur la nature de leurs sentiments.

— Oui, confirma-t-il en se servant à son tour. J'étais son conseiller financier. Et Dieu sait si elle avait besoin de mes conseils à l'époque ! Nous sommes restés en contact, mais je ne m'attendais vraiment pas à la rencontrer ici.

— Je suis venue passer quelques jours dans la région avec des amis, expliqua Emma. En tout cas, je suis contente d'être tombée sur Alex.

— Et moi donc ! s'écria ce dernier avec ferveur avant de rougir imperceptiblement. Au fait, comment s'est passée votre excursion ? Je constate avec plaisir que tu es toujours vivante, Sam. Vous vous êtes bien amusés ?

— C'était fantastique ! Sauf quand j'ai perdu l'équilibre sur le bateau. Heureusement, Ransom m'a rattrapée à temps.

— Je t'avais bien dit qu'il était le meilleur ! fit observer Alex.

— C'est vrai, acquiesça-t-elle en baissant les yeux sur son assiette.

Le déjeuner fut très convivial. Sam avait l'impression de ne pas s'être autant amusée depuis des siècles. Mais au bout d'un moment, Emma les informa qu'il était temps pour elle de rejoindre ses amis. Alex lui offrit de la raccompagner en voiture.

Dès que le couple se fut éclipsé, Ransom laissa échapper un petit sifflement.

— Eh bien ! Je mettrais ma main au feu qu'ils sont très amoureux !

Sam le regarda en souriant.

— J'en suis sûre, moi aussi. Par contre, j'ai du mal à croire qu'ils se soient rencontrés par hasard. Qu'est-ce que tu en penses ?

— Je n'y crois pas une seconde, répliqua-t-il en riant.

— Emma a dû s'arranger pour tomber sur lui, dit Sam en riant à son tour.

— Tu as manqué de chance sur ce coup-là.

Elle fronça les sourcils.

— Pardon ?

— Alex est déjà pris. Tu es arrivée trop tard.

Sam préféra s'abstenir de relever le sarcasme.

— Libre à toi de penser ce que tu veux, mais je suis très contente pour eux.

Il lui lança un regard de biais.

— Que vas-tu faire ? demanda-t-il.

— Comment ça ?

Ransom croisa les jambes et se cala confortablement contre le dossier de son siège.

— Tu as un plan de rechange ?

— Je pourrais savoir de quoi tu parles ? s'enquit-elle en grimaçant.

— Je me demandais simplement si tu avais un autre pigeon en ligne de mire, précisa-t-il d'un ton moqueur.

Elle secoua la tête en signe d'impuissance.

— Tu es pire qu'un chien avec un os. Tu ne lâches donc jamais prise ?

— Que veux-tu ? J'ai de la suite dans les idées ! dit-il en s'étirant paresseusement.

Saisie par l'envie soudaine de le toucher, Sam fut envahie par un désir mêlé de nostalgie.

— C'est probablement ce qui fait de toi un si bon avocat, dit-elle en détournant la tête.

Elle sursauta en sentant la main de Ransom se poser sur la sienne.

— Il fait un temps superbe. Que dirais-tu d'une petite promenade dans les bois ? suggéra-t-il avec un sourire radieux.

— Bonne idée, dit-elle en se levant.

Après avoir traversé le jardin, ils franchirent un petit portail et se retrouvèrent sur un chemin de terre qui s'enfonçait dans les bois. L'endroit était très paisible et l'on n'entendait que le chant des oiseaux.

— Tu sais, je ne t'aurais jamais laissée séduire Alex, lui dit soudain Ransom.

— Vraiment ? Tu m'étonnes ! rétorqua-t-elle d'un ton ironique.

Il ramassa une branche morte qu'il jeta sur le bas-côté.

— Je t'ai donné mes raisons hier. Mais j'en ai de nouvelles, annonça-t-il d'un air détaché.

Il frotta ses mains l'une contre l'autre pour les nettoyer, puis il les enfonça dans ses poches.

Sam haussa les sourcils. Qu'avait-elle bien pu faire pour susciter une fois encore sa désapprobation ?

— Ce qui était valable pour Alex l'est pour tous les autres. Je ne te laisserai approcher aucun homme, reprit-il posément.

Abasourdie, Sam ouvrit de grands yeux.

— Comme si tu pouvais m'en empêcher ! Qu'est-ce qui te prend ?

— Toi et moi, ça n'est pas fini. On vient d'en avoir la preuve.

Elle rougit au souvenir de leur baiser.

— Je refuse de discuter de ça ! protesta-t-elle.

Il la contempla avec des yeux brûlant de désir.

— Tu es si belle ! La tentation incarnée.

— A quoi joues-tu ? demanda-t-elle, interloquée. Arrête tout de suite.

— J'aimerais bien, mais j'ai un problème, murmura-t-il d'une voix infiniment sensuelle.

Il fit un pas en avant.

— Quel problème ? interrogea-t-elle tout en reculant.

— C'est ma mémoire.

— Ta... mémoire ? balbutia-t-elle.

— Oui. Tu vois, le problème, c'est que j'ai une excellente mémoire. Je n'ai rien oublié du plaisir que je prenais à te faire l'amour, dit-il en s'approchant d'elle, toujours plus près.

— Peut-être, mais ça n'arrivera plus jamais, affirma-t-elle en faisant de nouveau un pas en arrière.

Il eut un rire moqueur.

— Tu ne devrais pas être aussi péremptoire. Rappelle-toi tout à l'heure...

— Ce baiser était une erreur !

— Une erreur qui risque de se répéter. Si j'étais toi, j'arrêterais de reculer...

Sam jeta un coup d'œil sur le fossé derrière elle.

— Ça ne se reproduira pas ! Aucune chance ! s'écria-t-elle en lui faisant face.

— Tu te trompes, Sam.

— Qu'est-ce qui te rend si sûr de toi ?

— Tu me désires autant que je te désire..., constata-t-il d'une vois rauque.

Elle serra les poings.

— Si seulement j'avais passé le week-end chez moi ! Je suis maudite, dit-elle en levant les yeux au ciel.

Oubliant le fossé, elle recula de quelques pas et tomba en arrière. Après avoir dévalé la pente sur les fesses, elle fit une culbute et se retrouva la tête la première dans un tas de feuilles mortes.

— Tout va bien ? demanda Ransom en descendant la rejoindre.

Elle releva la tête.

— Très bien, merci, répliqua-t-elle d'un ton caustique.

— J'aurais besoin de quelques précisions. Tu essayais de faire quoi au juste ? demanda-t-il en s'accroupissant auprès d'elle.

— A ton avis ? Un double saut périlleux, ça va de soi !

— Bien tenté, même si j'ai trouvé le départ un peu raté, dit-il en s'esclaffant.

Elle s'efforça de ne pas sourire.

— Je t'interdis de te moquer de moi, le menaça-t-elle tout en se redressant. Sinon…

— Sinon, quoi ? répliqua-t-il, la défiant du regard.

— Sinon… Tiens ! Prends ça ! s'exclama-t-elle en lui lançant de pleines poignées de feuilles mortes à la figure.

Sam éclata de rire. Soudain, elle vit une lueur malicieuse s'allumer dans les yeux de Ransom.

— Tu es fichue ! s'écria-t-il avant de contre-attaquer.

Comme il visait nettement mieux qu'elle, Sam jugea plus prudent de battre en retraite. Mais alors qu'elle remontait la pente à quatre pattes, il réussit à lui attraper la cheville.

— C'est fini, ma chérie ! jubila-t-il en la tirant vers lui avant de la plaquer contre le sol. Alors, tu attends quoi pour te libérer ?

Troublée par la proximité de leurs corps, Sam s'humecta machinalement les lèvres. Les yeux de Ransom se mirent alors à briller d'un éclat intense, et elle détourna vivement la tête, le cœur battant à tout rompre dans sa poitrine.

— Je pense que tu devrais me laisser me relever, dit-elle d'une voix voilée.

— Tu arrives donc encore à penser ?

Oubliant toute prudence, elle le regarda. Ses yeux étaient brûlants. Comme envoûtée, elle posa les mains sur sa poitrine.

— Oh, Ransom, soupira-t-elle, comme il capturait ses lèvres.

Un plaisir intense s'empara de Sam quand Ransom glissa une main sous son T-shirt et lui caressa lentement le dos. Elle frissonna de la tête aux pieds et laissa échapper un gémissement. Elle se serra contre lui.

Soudain, des aboiements et une voix d'enfant les ramenèrent brusquement à la réalité. Ransom se redressa, aux aguets.

Toujours allongée, Sam tentait en vain de calmer les battements de son cœur quand elle vit apparaître un petit chien noir et blanc, suivi d'un jeune garçon d'une dizaine d'années.

Le chien se mit à gambader joyeusement autour d'eux, balayant les feuilles mortes avec sa queue.

— Salut ! Tu t'appelles comment ? demanda Ransom à l'animal qu'il caressa sur la tête.

— Viens ici, Buster ! Au pied ! ordonna le garçon. J'espère qu'il ne vous a pas fait peur.

— Pas de problème. J'aime beaucoup les chiens, répondit Ransom avec un sourire.

Sam se redressa et le petit garçon la regarda, l'air surpris.

— Euh... Vous allez bien ? Je peux appeler mon père si vous avez besoin d'aide, proposa-t-il.

— Tout va bien. On est un peu sales parce qu'on s'est allongés un instant pour se reposer, lui expliqua Ransom.

Le garçon fit un grand sourire.

— Bon ! Allez Buster, on y va ! dit-il avant de s'éloigner en courant, le chien sur ses talons.

— Eh bien, il était moins une ! s'exclama Ransom sur un ton amusé, tout en se relevant.

Sam fit de même, plus gauchement.

— Je suis contente que tu trouves ça drôle. Moi, ça ne me fait pas du tout rire. Imagine que le chien n'ait pas aboyé. Cet enfant nous aurait vus en train de...

— En train de nous embrasser. Et alors ? dit-il en tendant la main vers elle.

— Ce n'était pas le lieu pour ça, insista Sam en s'écartant de lui.

Il l'attrapa par les épaules.

— N'en fais pas toute une montagne. Et reste tranquille ! dit-il en ôtant les feuilles mortes de ses longs cheveux.

— Arrête ! Tu m'as assez tripotée pour aujourd'hui !

Ransom croisa les bras.

— Je ne t'ai forcée à rien, dit-il d'un ton posé.

— Merci de me le rappeler. Je me sens beaucoup mieux à présent, répliqua-t-elle d'un ton acerbe. Pour la dernière fois, fiche-moi la paix ! Arrête ton petit jeu !

Il la regarda d'un air grave.

— Il ne s'agit pas d'un jeu, Sam. Tu ne comprends donc pas que nous n'avons pas le choix ?

Elle secoua vigoureusement la tête.

— Bien sûr que si ! Nous pourrions partir chacun de notre côté.

— Sans savoir ce que ça aurait pu donner ?

Malgré la chaleur, elle frissonna.

— A quoi bon ? Nous n'avons rien à y gagner !

Si elle avait eu le moindre espoir de le reconquérir, elle se serait lancée à corps perdu dans cette aventure, mais elle savait très bien que Ransom n'avait pas d'amour à lui offrir.

— On ne peut pas en être certains avant d'avoir essayé, répondit-il en haussant les épaules.

— Mais bon sang ! Qu'est-ce que tu espères ?

Il eut un petit rire d'autodérision.

— Me libérer de ton emprise, répondit-il. Toi seule peut me guérir de mon désir.

— Et si le remède s'avérait pire que le mal ?

Il haussa de nouveau les épaules.

— C'est un risque que je suis prêt à prendre. Tu as envie de moi, Sam. Et cette fois, tu n'auras même pas besoin de faire semblant de m'aimer, insista-t-il, un sourire ravageur aux lèvres.

— Du plaisir sans contrainte, résuma-t-elle d'une voix douce.

— Absolument.

Elle prit une profonde respiration.

— Je devrais peut-être y réfléchir.

— Ah ! Tu deviens enfin raisonnable, dit-il avant de se remettre en route.

Sam le suivit en silence, plongée dans ses pensées. Si elle acceptait la proposition de Ransom, il ne faisait aucun doute que sa vie prendrait un nouveau tournant, mais elle aurait été bien en peine de dire si ce serait pour le meilleur ou pour le pire.

Le dimanche matin, il faisait une chaleur torride. Après le petit déjeuner, Alex et Emma proposèrent à Sam de les accompagner avec Ransom à la plage. Ainsi, elle pourrait se baigner avant son retour à Londres, prévu en début d'après-midi.

Sam monta dans sa chambre préparer ses affaires, et quelques minutes plus tard, tous les quatre partaient pour le bord de mer.

A cette heure de la journée, la plage n'était pas encore bondée et ils trouvèrent un coin isolé où poser leurs affaires. Sitôt déshabillés, Alex et Emma coururent se baigner. Ransom enleva son T-shirt, puis il s'allongea sur sa serviette, qu'il avait étendue juste à côté de celle de Sam.

Celle-ci dévorait des yeux son corps athlétique, s'attardant sur ses longues jambes musclées et sa poitrine puissante. Il était la perfection faite homme. Saisie par l'envie impérieuse de faire courir ses doigts sur sa peau hâlée, Sam sentit sa gorge s'assécher. Puis son regard se porta sur le visage de Ransom.

— Le paysage te plaît ? s'enquit-il d'un ton ironique.

Elle rougit

— J'ai toujours aimé te regarder, répondit-elle d'un ton faussement calme, tout en ôtant son short et son débardeur.

— Ça ne me dérange pas du tout, tu sais. Mais moi, je suis

plutôt pour le contact. Et j'aimerais beaucoup être caressé par tes mains si douces...

Elle en eut presque le souffle coupé.

— Arrête ! lui ordonna-t-elle.

— Mais je n'ai rien fait !

Elle lui décocha un regard incendiaire.

— Si ! Tu flirtes avec moi !

— Et c'est un crime ? demanda-t-il en riant.

— Pour un couple, non. Mais contrairement à Alex et Emma, nous n'en sommes pas un.

— Tu les envies ?

Son cœur se serra. Bien sûr qu'elle les enviait ! Dire que Ransom et elle auraient pu être à leur place...

— J'envie leur bonheur, répondit-elle. Il sont jeunes et amoureux. Il n'y a rien de plus merveilleux.

Il haussa les sourcils.

— Qu'est-ce que tu en sais ? Tu n'as jamais été amoureuse...

— Si ! Alors tais-toi ! s'écria-t-elle avant de détourner ostensiblement la tête.

Elle se maudit en silence pour son manque de sang-froid. Seigneur, elle avait vraiment les nerfs à fleur de peau ! Mais au moins, elle pouvait être certaine que Ransom ne penserait pas qu'elle parlait de lui...

— Je suis désolé, dit-il au bout d'un long moment.

Elle fut si surprise qu'elle tourna brusquement la tête dans sa direction.

— Tu es sincère ?

— C'est si difficile à croire ? demanda-t-il avec un sourire désabusé.

— Un peu, dit-elle.

Il haussa les épaules.

— Après tout, tu étais sans doute différente, autrefois, reprit-il. Et tu as une idée de ce qu'est devenu l'amour de ta vie ?

Sam se demanda un instant comment réagirait Ransom si elle lui avouait qu'il s'agissait de lui.

— Il a continué sans moi. Maintenant, si ça ne te dérange pas, j'aimerais oublier le passé et profiter du moment présent, dit-elle en s'allongeant plus confortablement sur sa serviette.

Bercée par le clapotis des vagues, Sam se détendit rapidement. Mais au bout de quelques minutes, elle tressaillit violemment en sentant une main se poser sur son dos.

— Qu'est-ce que… ? balbutia-t-elle en tentant de se relever.

Ransom l'empêcha de bouger.

— Je te mets un peu de crème. Tu risques d'attraper un coup de soleil, dit-il en traçant des cercles sur sa peau brûlante.

Sam ferma les yeux et s'abandonna à ses caresses, se mordant les lèvres pour ne pas gémir de plaisir. Lorsqu'il effleura l'arrondi de ses seins, elle crût défaillir.

— Encore ! Ne t'arrête pas ! l'implora-t-elle.

— Je ne peux pas. Si je continue, je vais te faire l'amour devant tout le monde, murmura Ransom d'une voix rauque.

Sam pivota sur elle-même et ils se regardèrent, les yeux pleins de désir.

— Oh, mon Dieu ! gémit-elle.

Jamais elle n'avait vu son regard briller avec autant d'intensité.

Il posa son front contre le sien et ferma les yeux.

— J'ai tellement envie de toi…, murmura-t-il.

Soudain, une voix familière les firent sursauter.

— Eh bien, dites donc ! Qu'est-ce que je vois ? s'exclama Alex en éclatant de rire.

Ransom se redressa lentement et Sam remarqua que ses mains tremblaient.

— Ça dure depuis longtemps ? gloussa Alex.

Emma lui administra une petite tape sur le bras.

— Aïe ! protesta-t-il. Qu'est-ce qui te prend ?

— Ah, les hommes ! soupira Emma en regardant Sam d'un air entendu.

Cette dernière se releva tant bien que mal.

— Ce n'est pas grave. Je vais aller me rafraîchir un peu, ajouta-t-elle avant de courir jusqu'au rivage.

Après s'être enfoncée dans l'eau, Sam plongea au milieu des vagues, puis nagea jusqu'à perdre haleine. Ses sens enfin apaisés, elle s'allongea sur le dos et se laissa paresseusement dériver. Même si Alex était arrivé à point nommé, ça ne changeait rien : l'attirance entre Ransom et elle était toujours aussi impérieuse. Mais il fallait qu'elle garde à l'esprit que Ransom ne l'aimait pas. Que devait-elle faire ? Incapable de réfléchir, elle décida de regagner le rivage.

De retour sur la plage, elle veilla à s'asseoir à bonne distance de Ransom. Mais tandis qu'elle bavardait avec Emma, l'air lui semblait empli de sa présence. Quand vint la marée haute, ils décidèrent de rentrer à la maison.

Sitôt arrivés, ils aperçurent Ellen et David dans le patio. Assis à l'ombre d'un parasol, ils prenaient un rafraîchissement.

— Qu'est-ce que vous buvez ? s'informa Alex.

— De la citronnade, répondit sa mère. J'en ai préparé tout à l'heure. Si ça vous intéresse, il en reste dans le réfrigérateur.

— Bonne idée ! Je m'en occupe ! s'écria Sam en se dirigeant à grands pas vers la cuisine.

Après avoir sorti du réfrigérateur le pichet de citronnade, elle le posa sur le buffet. Elle trouva ensuite un plateau sur lequel elle posa un paquet de chips, des biscuits et quatre verres.

Soulevant le tout, elle s'apprêtait à avancer quand elle vit, horrifiée, une grosse araignée courir sur le rebord du plateau et se diriger droit vers elle. Elle le lâcha en poussant un cri strident, et il tomba sur le sol en un bruit assourdissant. L'araignée fila se réfugier dans un coin de la pièce.

Tremblant de tout son corps, trempée de citronnade et couverte de morceaux de verre, Sam était incapable de répondre aux appels inquiets provenant du patio.

— Que s'est-il passé ? demanda Ransom en entrant précipitamment dans la cuisine.

— J'ai laissé tomber le plateau, expliqua-t-elle d'un air penaud.

— Je le vois bien, dit-il d'un ton sec en constatant les dégâts. Mais pourquoi ?

Sam humidifia ses lèvres, puis elle prit une profonde inspiration.

— Il y avait une énorme araignée dessus. J'ai eu très peur et j'ai tout lâché.

Elle se tourna vers Alex qui venait d'arriver.

— Je suis vraiment désolée. Je dédommagerai tes parents.

Son ami se mit à rire.

— Quand je pense que Ransom a volé à ton secours pour une aussi petite bestiole...

— Elle a toujours eu une peur bleue des araignées, précisa Ransom, un grand sourire aux lèvres.

— Comment le sais-tu ? demanda Alex, surpris.

Sam observa Ransom, curieuse de voir comment il allait s'en sortir.

— On en a parlé tout à l'heure. Ne me demande surtout pas comment c'est venu dans la conversation.

Alex sembla accepter l'explication.

— D'accord. Je vous laisse. Il faut que j'aille rassurer le reste de la famille !

— Beau mensonge, Ransom ! le complimenta Sam quand Alex fut parti.

— Et Dieu sait si tu t'y connais, rétorqua-t-il d'un ton sarcastique. Ne bouge surtout pas, Sam. Je vais te soulever et te mettre sur une chaise.

Il la prit dans ses bras, la déposa sur la chaise la plus proche et enleva délicatement les petit débris de verre qu'elle avait sur elle.

— Voilà ! dit-il en se redressant. A ton avis, où se trouve le balai ?

— Sans doute là-dedans, dit-elle en désignant un placard.

Ransom y trouva ce qu'il cherchait. En un rien de temps, il réussit à effacer toute trace de l'incident. Puis il sortit du réfrigérateur un autre pichet de citronnade, remplit deux grands verres et en tendit un à Sam, tout en s'asseyant en face d'elle.

— Alors, tu passes une bonne journée ? demanda-t-il en souriant.

— Un peu trop mouvementée à mon goût, répondit Sam avec une grimace.

— Tu ne sembles guère bouleversée.

— Il n'y a tout de même pas de quoi ! J'ai juste renversé un plateau ! D'accord, j'ai cassé…

— Je ne parle pas de ça, l'interrompit-il brusquement. Je faisais allusion au fait qu'Alex est amoureux d'une autre femme.

— Alex est un ami, rien d'autre. Je n'ai pas cessé de te le répéter.

— Comme le dit souvent ma grand-mère dans son immense sagesse, la meilleure façon d'entendre ce que les autres ont à dire est encore de les écouter.

— Elle existe vraiment, cette grand-mère ? demanda Sam d'un air perplexe.

— Oui, et elle se porte comme un charme, malgré ses quatre-vingt-dix ans, précisa Ransom avec un doux sourire qui la bouleversa.

— Dommage que tu n'aies pas suivi ses conseils, dit-elle en poussant un soupir.

Avant que Ransom ait eu le temps de répondre, Alex réapparut avec Emma dans son sillage.

— Désolé de vous interrompre, mais on va prendre une petite

douche, se changer et sortir déjeuner quelque part. Ça vous dit de nous accompagner ? demanda Alex avec un grand sourire.

Sam cligna des yeux, surprise.

— Mais je croyais qu'on devait partir en tout début d'après-midi !

Elle vit s'évanouir le sourire de son ami.

— Zut ! J'avais complètement oublié ! marmonna-t-il.

— Sam, je retourne à Londres dans quelques heures. Si vous le désirez, je peux vous ramener chez vous, suggéra Ransom.

Le sourire d'Alex réapparut.

— Tu vois, Sam, il n'y a pas de problème, dit-il avec entrain. Enfin, si tu es d'accord, bien sûr…

Il avait l'air si heureux à l'idée de passer quelques heures de plus avec Emma que Sam n'eut pas le cœur de refuser.

— D'accord. C'est gentil de votre part, Ransom.

— Super ! s'exclama Alex avec un charmant sourire avant de disparaître avec Emma.

Sam se tourna vers Ransom.

— Tu es sûr que ça ne te dérange pas ? Je peux prendre le train, sinon.

Un léger sourire se dessina sur le visage de Ransom.

— Ce serait idiot. Nous allons dans la même direction. De plus, nous avons encore beaucoup de choses à nous dire, ajouta-t-il d'un ton catégorique.

Elle haussa les sourcils, agacée.

— Comment ça ?

— Je n'ai pas l'intention d'ignorer ce qui se passe entre nous.

— Je ne prendrai aucune décision aujourd'hui. J'ai besoin de réfléchir.

— Je suis un homme patient. Je peux attendre.

Comment pouvait-il être aussi sûr qu'elle finirait par céder ? Son arrogance commençait vraiment à l'irriter.

— Tu risques d'attendre pour rien, dit-elle d'un ton glacial.

— J'en doute fort. Mais trêve de bavardage ! Monte faire tes bagages pendant que j'informe David et Ellen du changement de programme.

Furieuse, Sam le regarda se diriger vers le patio. S'il s'imaginait qu'elle allait succomber sans plus résister, il se trompait lourdement. Certes, elle avait envie de lui et elle l'aimait plus que tout au monde, mais elle n'était pas du genre à accourir au moindre claquement de doigts. Il allait apprendre à ses dépens qu'elle n'était pas une femme docile…

7.

Sam fit un bond lorsque le téléphone de la réception sonna. Quinze jours s'étaient écoulés depuis son retour à Londres, deux longues semaines au cours desquelles Ransom n'avait pas daigné lui donner le moindre signe de vie. A force d'attendre une visite ou un coup de fil qui ne venait pas, elle était à bout de nerfs et d'humeur massacrante.

Elle souleva brutalement le combiné.

— Hôtel Royal, j'écoute ! dit-elle d'un ton peu amène.

— Eh bien ! Quel accueil ! Tu t'es levée du pied gauche ce matin ?

Dès les premiers mots, elle reconnut la voix de Ransom. Aussitôt, elle fut envahie par un immense soulagement dont elle ne voulut toutefois rien laisser paraître.

— Qui t'a donné ce numéro ? demanda-t-elle sèchement.

— Ellen a eu la gentillesse de me communiquer le nom de l'hôtel. A part ça, je t'ai manqué ?

— Pas du tout.

Ransom rit doucement.

— Pareil pour moi.

— Les clients attendent. Je te prierai de faire vite…

— Menteuse !

Elle en eut le souffle coupé.

— Je te demande pardon ?

— Tu peux, en effet ! Il y a une seule personne à l'accueil, et ton collègue s'en occupe.

Abasourdie, elle éloigna le combiné de son oreille. Comment diable savait-il… ? Elle balaya quelques instants le hall du regard avant d'apercevoir Ransom, confortablement installé dans un fauteuil, un grand sourire aux lèvres. Il brandit son portable comme un trophée et la salua d'un geste de la main avant de se lever. Vexée qu'il s'amuse à ses dépens, Sam reposa le combiné d'un geste rageur et se mit à pianoter nerveusement sur le bureau.

Il avançait d'un pas décidé vers la réception, ignorant les regards admiratifs des femmes qui tournaient la tête à son passage. Malgré sa colère, Sam ne put s'empêcher d'être flattée qu'un homme aussi séduisant n'ait d'yeux que pour elle, et tandis qu'il approchait, elle sentit son corps s'embraser.

— Qu'est-ce que tu fais ici ? lui demanda-t-elle d'un ton glacial pour dissimuler son émoi.

— Tu pourrais être plus aimable avec tes clients, rétorqua-t-il d'un ton moqueur.

— Tu n'es pas un client. Qu'est-ce que tu veux ?

— Toi, dit-il avec un sourire d'une infinie sensualité.

Sam sentit ses jambes trembler, et elle dut lutter de toutes ses forces pour se ressaisir.

— Vraiment ? Je pourrais peut-être te croire si tu avais jugé bon de me contacter plus tôt, dit-elle en le fusillant du regard.

— Tu étais inquiète, ma chérie ? Moi qui pensais bien faire en te laissant un peu de temps pour réfléchir ! Cela dit, je suis prêt à rattraper mon retard, ajouta-t-il avec un grand sourire.

C'était donc pour ne pas la brusquer qu'il avait gardé le silence ! Bien que rassurée, Sam n'en montra rien.

— Tu peux toujours rêver ! Bon, si c'est tout ce que tu avais à me dire…

— Pas tout à fait, ajouta-t-il d'un ton détaché. J'ai appris par un de tes collèges que tu prenais ta pause à 13 heures. Je t'invite à déjeuner.

— Qui a bien pu te dire ça ? On ne communique pas ce genre d'informations à des inconnus ! dit-elle en regardant ses collègues d'un air suspicieux.

— Sauf si l'inconnu en question se montre très persuasif, répliqua Ransom avec un sourire de satisfaction.

— Il faudra que je leur dise de se méfier de toi la prochaine fois.

Il haussa les sourcils.

— Il y aura donc une prochaine fois ? Tu m'en vois ravi.

Elle lui décocha un regard noir.

— Je n'ai jamais dit ça !

— Je parie que tu as faim. Tu es toujours grincheuse quand tu as l'estomac vide. Heureusement, je connais d'excellents restaurants dans le quartier.

Quelle suffisance ! Il ne semblait pas envisager une seule seconde qu'elle puisse refuser son invitation !

— Je n'irai nulle part avec toi. Je préfére encore mourir de faim, répliqua-t-elle, excédée.

Il secoua la tête d'un air désapprobateur.

— Allons ! Ne fais pas ta tête de mule !

— Maintenant, ça suffit ! s'écria-t-elle avant de se rendre compte que le silence s'était fait autour d'eux.

Stupéfaite, elle rencontra les regards amusés de ses collègues, tous braqués sur elle. Elle sentit ses joues s'empourprer et resta immobile, souhaitant de tout son cœur que la terre s'ouvre sous ses pieds et l'engloutisse.

— Je vais chercher mes affaires, marmonna-t-elle avant de disparaître.

Sitôt arrivée dans la salle du personnel, Sam prit une profonde inspiration et posa ses mains sur ses joues brûlantes. Elle tremblait de tout son corps, mais l'émotion qui la submergeait n'avait rien à voir avec la honte. En dépit de tout ce qu'elle pouvait prétendre, Ransom lui avait horriblement manqué et elle était heureuse de le revoir.

Cependant, elle avait beaucoup trop de fierté pour le lui montrer. Sans compter qu'il était déjà bien assez sûr de lui comme ça ! Après avoir jeté un coup d'œil à son reflet dans la glace, elle prit son sac à main et regagna le hall de l'hôtel.

Ransom l'attendait près de l'entrée. Elle fut frappée par son air songeur, presque soucieux, qui fit place à un sourire radieux dès qu'il l'aperçut.

Il l'emmena dans un restaurant très couru, situé juste à côté de l'hôtel. Il y avait réservé une table.

— Tu ne doutes vraiment de rien ! Comment pouvais-tu être sûr que j'allais accepter ? demanda-t-elle d'un ton sec.

— Il fallait bien que je déjeune quelque part, avec ou sans toi, répondit-il d'une voix douce. Cela dit, je suis content que tu aies accepté de venir.

Comme toujours, il avait réponse à tout…

— Je n'ai rien accepté ! Je voulais juste éviter d'attirer davantage l'attention sur nous. Je parie que tu as tout fait pour que mes collègues nous entendent, ajouta-t-elle d'un ton accusateur tout en jetant un coup d'œil au menu.

— En amour comme à la guerre, tous les coups sont permis. Mon but est de t'ouvrir les yeux sur ce que tu veux vraiment, dit-il d'une voix grave.

Elle sentit son estomac se contracter.

— C'est-à-dire ?

— Faire l'amour avec moi.

— Tu as beaucoup trop d'imagination, Ransom. Je te rappelle que nous avons seulement échangé quelques baisers, dit-elle, le souffle court.

— Tu oublies que je te connais très bien. Malgré tout ce que tu peux dire, ton corps a parlé pour toi, ajouta-t-il avec un sourire irrésistible.

Sam baissa les yeux sur la carte, mais les noms des plats semblaient plongés dans un épais brouillard. Bien sûr, elle mourait d'envie de faire l'amour avec lui, mais comment aurait-il pu savoir qu'elle rêvait surtout de passer le reste de ses jours avec lui ? Quant à lui, il n'était intéressé que par une relation purement physique. Lorsque la flamme du désir s'éteindrait, il la laisserait tomber. Et elle ignorait si elle pourrait, cette fois, survivre à la rupture…

— Sam ?

Elle sursauta.

— Désolée ! Tu disais quelque chose ?

— Tu as fait ton choix ?

Le serveur se tenait à côté d'eux, stylo en main. Sam opta pour une salade composée et de l'eau pétillante, et Ransom commanda la même chose.

— Au fait, Sam, pourquoi continues-tu à travailler ?

— J'ai besoin de me rendre utile, répondit-elle, soulagée qu'il change de sujet. Ça doit t'étonner, non ? Tu pensais certainement que je menais une existence luxueuse et oisive.

— En effet… Du moins avant qu'Ellen et toi ne parliez de votre projet. Elle m'en a d'ailleurs dit un peu plus au téléphone et ne tarit pas d'éloges à ton égard.

Sam baissa la tête.

— C'est très gentil de sa part, mais je n'en mérite pas tant.

Ransom se carra sur sa chaise et la dévisagea longuement.

— Tu travailles, tu consacres du temps et de l'argent aux autres. J'avoue que j'ai du mal à m'expliquer cette métamorphose.

— Peut-être que je me suis simplement rendu compte que je faisais fausse route…

Il la scrutait avec intensité.

— Hmm… peut-être…, dit-il enfin, d'un air dubitatif. Après tout, la vie réserve bien des surprises. Regarde ! Tu viens d'enterrer ton vieux mari, et voilà que tu tombes sur moi. Quelle aubaine, soit dit en passant !

— Comment peux-tu comparer mon mariage avec la proposition que tu m'as faite ? demanda-t-elle d'un ton aussi détaché que possible.

— Il est certain que cette fois-ci, je ne vais pas te demander de m'épouser, répondit-il en se penchant vers elle.

Elle sentit son cœur se serrer.

— Imagine que tout ne se passe pas comme prévu et que je tombe amoureuse de toi ? osa-t-elle demander.

Son rire cynique la blessa.

— Nous savons tous deux qu'il n'y a aucun risque.

— Et si je refuse ? Tu accepteras ma décision sans discuter ?

— Bien sûr. Il n'est pas question de te forcer à faire quoi que ce soit, dit-il d'un ton ferme avant de lui adresser un sourire malicieux. Mais je sais très bien que tu vas finir par accepter.

— Tu pourrais être surpris ! dit-elle d'un ton mi-amusé mi-irrité.

— Tu veux parier ?

— Non, répondit-elle, le cœur battant.

— Sage décision !

L'arrivée du serveur vint interrompre leur conversation, et Ransom abandonna ensuite le sujet, estimant sans doute l'affaire réglée. Et elle l'était, d'une certaine façon, car Sam pressentait qu'elle n'aurait pas, cette fois, la force de renoncer à lui…

Après le déjeuner, Ransom la raccompagna à son travail.

— Je passe te prendre chez toi à 19 heures, déclara-t-il. J'ai réussi à avoir des places pour cette pièce de théâtre dont tout le monde parle. On ira manger un morceau après la représentation.

— Surtout, ne me demande pas mon avis ! s'écria-t-elle avec indignaiton.

Il l'attira dans ses bras et déposa un baiser appuyé sur ses lèvres.

— Ne fais pas ta mauvaise tête, dit-il en la libérant.

Puis, il monta dans un taxi.

— Arrange-toi pour être à l'heure ! lança-t-il en baissant la vitre de sa portière, juste avant que le véhicule ne démarre.

Sam le regarda, un peu déstabilisée. Quand le taxi se fut éloigné, elle posa les doigts sur ses lèvres brûlantes et sentit un sourire se dessiner sur son visage en songeant à la merveilleuse soirée qui les attendait.

La pièce était aussi bonne que les critiques l'avaient annoncé, et Sam quitta le théâtre enchantée. Tandis qu'ils marchaient côte à côte sur le trottoir, Ransom la prit par la main, et, malgré sa surprise, elle le laissa faire, heureuse de pouvoir rêver un instant qu'entre elle et lui, tout était redevenu comme avant…

Ils se rendirent dans un petit restaurant italien proche du théâtre. Sitôt installé, Ransom commanda deux verres de Martini que le serveur apporta promptement. Sam s'appuya contre le dossier de sa chaise, poussa un soupir de bonheur et porta à ses lèvres le doux breuvage. Mais elle s'interrompit soudain en sentant le regard de Ransom braqué sur elle. Elle haussa les sourcils d'un air interrogateur.

— Se pourrait-il que tu aies aimé la pièce ? la taquina-t-il.

— Oh, oui ! C'était fantastique ! Merci pour ton invitation.

Ses yeux gris se mirent à pétiller.

— Je t'en prie. Mais pour être honnête, j'avais une petite idée derrière la tête en te proposant de sortir avec moi.

— Vraiment ? demanda-t-elle en tressaillant.

Il la fixa longuement.

— Un ami m'a laissé les clés de sa maison de campagne, dit-il enfin. J'aimerais y passer le week-end avec toi.

Elle sursauta.

— Tu voudrais que je t'accompagne là-bas ?

Il lui adressa un sourire ravageur.

— Tu as bien compris. Nous avons besoin d'un peu d'intimité, toi et moi. Je suis sûr qu'on va passer de très bons moments ensemble.

— C'est si soudain…, dit-elle d'un voix mal assurée.

Ransom lui prit la main et la caressa doucement avec son pouce.

— Pas tant que ça ! Et puis nous sommes adultes et nous savons ce que nous voulons. Pourquoi attendre ?

Elle se raidit, parcourue par une onde de désir.

— Je n'aime pas qu'on me brusque, répliqua-t-elle, le souffle coupé.

— Je le sais bien, murmura-t-il. Tu as toujours préféré la douceur. Je te promets d'aller à ton rythme, mais je veux une réponse.

Elle se sentit fondre au son de sa belle voix grave.

— J'avais oublié à quel point tu pouvais être convaincant…

— Ça signifie que tu acceptes ?

— Non. Ça signifie que je vais y réfléchir. Tu penses pouvoir patienter un peu ? demanda-t-elle en lui lançant un regard de défi.

Sam avait très envie de lui, mais elle ne voulait pas se précipiter. Après tout, l'attente n'était-elle pas le plus puissant des aphrodisiaques ?

Ransom se renversa sur sa chaise, un sourire dépité aux lèvres.

— Bien sûr… Si j'en crois mes souvenirs, tu en vaux la peine.

— Me voilà rassurée. Je commençais à me demander si j'allais devoir payer cette soirée en nature, dit-elle d'un ton sarcastique.

— Je trouve tes propos très déplacés, rétorqua-t-il d'un ton sec.

Elle poussa un soupir.

— Tu as raison. Excuse-moi… On peut commander à présent ?

Ransom fit un signe de la main au serveur.

La fin de soirée se déroula tranquillement et Ransom la reconduisit chez elle un peu avant minuit. Après avoir garé sa voiture devant le domicile de Sam, il coupa le contact et se tourna vers elle.

— Tu ne m'invites pas à monter prendre un dernier verre ? demanda-t-il, un sourire ironique aux lèvres.

Sam secoua vigoureusement la tête.

— Non. Ni un verre ni autre chose.

— Alors je vais devoir me contenter d'un baiser.

Avant qu'elle ait eu le temps de répondre, il passa la main derrière sa nuque et emprisonna ses lèvres pour un baiser passionné. Sam ne put retenir un gémissement de plaisir tandis que leurs langues se mêlaient et qu'une chaleur intense se propageait dans tout son corps. Ransom agissait sur elle comme une drogue… Elle répondit aux baisers qui suivirent avec plus de fougue encore. Soudain, il la repoussa et posa les mains sur le volant, le serrant avec force.

— Tu devrais y aller avant que je ne puisse plus me contrôler, dit-il d'une voix rauque.

Sam s'humecta les lèvres pour sentir encore le goût de ses baisers. Puis, la gorge nouée, elle sortit de la voiture et ferma doucement la portière derrière elle.

Il baissa la vitre.

— Je t'appelle demain.

Elle acquiesça.

— Bonne nuit, murmura-t-elle.

Elle se dirigea rapidement vers l'entrée de l'immeuble. Une fois à l'intérieur de son appartement, elle courut à la fenêtre. Ransom n'était pas encore parti. A quoi pensait-il à cet instant ? Elle aurait donné cher pour le savoir… Elle avait été surprise qu'il lui propose de passer le week-end avec lui, même si elle savait que sa proposition n'avait qu'un seul but : se libérer de son emprise, comme il disait…

La sonnerie du téléphone vint brutalement interrompre ses pensées. Sam sursauta et fixa l'appareil, certaine qu'il s'agissait d'une erreur. Au bout d'un moment, elle se décida cependant à décrocher le combiné.

— Pourquoi n'as-tu pas allumé la lumière ? s'enquit la voix au bout du fil.

— Ransom ? demanda-t-elle, abasourdie. Je pourrais savoir à quoi tu joues ? Tu as vu l'heure ?

— Oui, minuit passé. J'avais promis de t'appeler demain. Nous y sommes ! s'exclama-t-il d'un ton léger.

— Tu es fou, bredouilla-t-elle, sans pouvoir s'empêcher de sourire.

— Pas encore, mais je risque de le devenir si tu ne me donnes pas de réponse, précisa-t-il d'un ton enjôleur.

Elle ferma les yeux et poussa un soupir.

— Ce n'est pas juste, Ransom ! protesta-t-elle sans grande conviction.

— J'attends toujours…

Après s'être laissée tomber sur le canapé, Sam se pelotonna contre un coussin.

— J'avais prévu de te faire languir un peu…

— Mais tu as changé d'avis.

Elle prit une profonde inspiration.

— D'accord, Ransom. J'accepte ton offre.

Un moment s'écoula avant qu'il ne reprenne la parole.

— Merci, finit-il par dire avec une étrange inflexion dans la voix. Bonne nuit, Sam.

Elle reposa lentement le combiné sur son support, implorant le ciel de ne pas avoir à regretter amèrement sa décision.

8.

Les jours suivants, Sam se demanda si elle n'avait pas été folle d'accepter la proposition de Ransom. Chaque fois que le doute s'insinuait dans son esprit, elle tentait de se convaincre que tout irait bien. Mais quand vint le vendredi, elle se trouvait dans un état de nerfs indescriptible. Après avoir préparé ses affaires, elle fit les cent pas dans son appartement en attendant l'arrivée de Ransom.

Et comme par magie, son inquiétude s'évanouit lorsqu'elle entendit la sonnerie de la porte d'entrée.

— Ton carrosse est avancé ! lança Ransom, sitôt qu'elle eut ouvert la porte.

Sam lui tendit en souriant sa petite valise.

— C'est tout ce que tu as ?

— Oui, c'est bien assez pour deux jours. Mais j'ai tout de même emporté un bouquin au cas où je m'ennuierais.

Il haussa les sourcils.

— J'espère que tu plaisantes.

Sam prit son sac à main et sa veste avant de fermer la porte à clé derrière elle.

— Pas du tout. On ne sait jamais…

Au moment où elle s'apprêtait à descendre l'escalier, il l'attrapa par le bras.

— Crois-moi sur parole, tu n'en liras pas un traître mot !

— J'attends de voir ! répondit-elle en riant.

Elle aperçut alors une étrange lueur dans les yeux de Ransom et sentit un frisson la parcourir. « Tu n'as rien à craindre. Ça va aller », se répéta-t-elle une dernière fois juste avant de monter en voiture.

Le trajet s'avéra beaucoup plus long que prévu en raison des embouteillages, et il faisait nuit noire lorsqu'ils arrivèrent. Heureusement, Ransom connaissait bien les lieux et il n'eut aucun mal à se diriger sur l'allée étroite qui menait à la vieille bâtisse de pierre.

En descendant de voiture, ils furent accueillis par le doux murmure d'un ruisseau. Mais le plaisir qu'éprouva Sam fut rapidement remplacé par un sentiment de malaise. Elle ignorait complètement dans quel état d'esprit se trouvait Ransom. Allait-il se précipiter sur elle sitôt la porte franchie ? Certes, elle savait qu'il avait voulu s'isoler avec elle pour assouvir ses désirs, mais elle ne pouvait envisager l'acte d'amour de façon aussi triviale…

L'estomac noué, elle le regarda monter les marches du perron. Après avoir sorti une clé de sa poche, il ouvrit la porte d'entrée et chercha l'interrupteur à tâtons. Une lumière dorée inonda les murs de pierre, les réchauffant et donnant vie à la maison. Ransom disparut à l'intérieur.

Sam s'arrêta quelques instants devant la porte et prit une profonde inspiration avant d'entrer à son tour. Elle se retrouva dans une vaste pièce accueillante et meublée avec goût, où trônait une gigantesque cheminée en pierre.

Ransom réapparut soudain.

— Le réfrigérateur est plein à craquer ! Mon ami Simon a dû prévenir l'employé chargé de l'entretien qu'on arrivait aujourd'hui. J'ai mis de l'eau à chauffer. Tu veux manger quelque chose ?

Sam se rendit compte que son estomac criait famine.

— Je pourrais nous préparer des sandwichs, suggéra-t-elle. Tu préfères du thé ou du café ?

— Du thé, s'il te plaît. Le café m'empêcherait de dormir. Pendant ce temps, je vais chercher les bagages. Au fait, si tu as besoin d'utiliser la salle de bains, il faut passer par là, dit-il en désignant une porte de bois qui menait à l'étage.

— Voilà qui exclut les balades nocturnes au fond du jardin, plaisanta Sam.

— Sauf si tu tiens à tomber dans le ruisseau ! répliqua-t-il avec un grand sourire, avant de sortir.

Sam pénétra dans la cuisine. La vaste pièce au sol carrelé était équipée d'une cuisinière, d'un réfrigérateur et d'un congélateur, situé dans un cellier de plain-pied. Après avoir trouvé tout ce dont elle avait besoin, elle commença à confectionner les sandwichs.

Une fois la collation préparée, elle porta le tout dans le salon. Ransom était paresseusement allongé sur le canapé et il lui fit signe de le rejoindre. Elle eut une seconde d'hésitation.

— Rassure-toi, Sam. Je suis trop fatigué pour te sauter dessus, dit-il d'un air moqueur.

Elle s'assit à côté de lui, honteuse.

— Je n'ai jamais pensé que tu allais me sauter dessus, rétorqua-t-elle en lui tendant une assiette.

— Pourtant, je sens bien que tu as peur de moi. J'ai donc tellement changé en six ans ? Je ne suis tout de même pas devenu un monstre !

— Non ! Bien sûr que non ! affirma-t-elle avec vigueur.

Il lui sourit.

— Merci. Je ne m'attendais pas à autant de ferveur !

Elle haussa les épaules.

— Je ne fais que dire la vérité, ajouta-t-elle d'un air détaché.

— Ah, oui ! la vérité..., répéta-t-il, songeur. Dans mon métier, elle envoie souvent les gens en prison. D'après toi, Sam, toutes les vérités sont-elles bonnes à dire ?

Elle se raidit.

— Je n'en sais rien, répondit-elle prudemment.

— Mais tu pourrais mentir à quelqu'un que tu aimes ? insista-t-il.

— Dans certaines circonstances, peut-être, répondit-elle en priant le ciel pour qu'il arrête là ses questions.

— Vraiment ? murmura-t-il d'un air grave. Je serais curieux de savoir lesquelles…

Sam lui lança un regard noir.

— Pourquoi ai-je la désagréable impression de subir un interrogatoire ?

— C'était une simple question. Inutile d'être sur la défensive, répliqua-t-il doucement.

Connaissant Ransom, elle doutait fort qu'il s'agisse d'une « simple question »…

— Dans ces conditions, tu ne m'en voudras pas si je ne te réponds pas, rétorqua-t-elle.

Il la dévisagea longuement.

— Très bien, alors je vais répondre à ta place, dit-il avant de marquer un temps d'arrêt. Je crois que tu pourrais mentir pour éviter à un être cher de souffrir.

Sam resta un moment interdite, déstabilisée par la pertinence de ses propos. Mais elle se détendit en songeant que cela ne pouvait être que le fruit du hasard.

— Tu pourrais dire la même chose de beaucoup de monde, fit elle remarquer avec un rire forcé.

— C'est vrai, dit-il avant de poser son assiette vide sur la table basse et de prendre sa tasse de thé. Par simple curiosité, tu as déjà menti par amour ?

Elle garda quelques instants le silence, consciente d'être en terrain miné.

— Je n'ai jamais prétendu avoir menti, lui rappela-t-elle brusquement.

— Bien sûr, répondit Ransom avec un petit sourire ironique. C'est incroyable ce que tu peux être têtue ! Et sexy…

Aussitôt, l'atmosphère de la pièce changea. L'air se chargea d'électricité et Sam sentit sa bouche s'assécher tandis que son cœur s'emballait.

Ransom la regarda d'un air amusé.

— N'aie pas l'air si choquée.

— Je ne le suis pas, affirma-t-elle en détournant la tête avant de rassembler leurs tasses et leurs assiettes.

— Mais tu es mal à l'aise.

Sans prendre le temps de répondre, Sam s'échappa dans la cuisine avec le plateau. Arrivée dans la pièce, elle poussa un profond soupir. Pourquoi était-elle aussi tendue ? Tout lui avait pourtant semblé si naturel la première fois qu'ils avaient fait l'amour… Mais à l'époque, Ransom l'aimait…

Après avoir posé les assiettes dans l'évier, elle fit couler de l'eau chaude et ajouta un peu de liquide vaisselle. Absorbée par sa tâche, elle n'entendit pas Ransom entrer dans la pièce. Quand il encercla sa taille, la retenant prisonnière contre lui, elle sursauta violemment. Mais avec les mains plongées dans l'eau savonneuse, elle n'était pas dans une position idéale pour réagir !

— Détends-toi, murmura-t-il au creux de son oreille.

Elle tressaillit en sentant son souffle chaud sur sa peau. Il posa doucement les lèvres à la naissance de sa gorge, et elle ferma les yeux, laissant échapper un petit gémissement de plaisir. Puis il l'embrassa à l'endroit même où son pouls battait à un rythme effréné, et elle sentit la tension qui l'habitait s'apaiser enfin.

— Qu'est-ce que tu fais, demanda-t-elle, la respiration rapide.

— Je m'occupe de toi, répondit-il d'une voix grave.

Sa main se glissa sous le T-shirt de Sam, effleurant sa peau de caresses délicieuses et tentatrices.

Elle soupira et renversa la tête en arrière.

— Alors, tu vois qu'il n'y a pas de raison d'être mal à l'aise, murmura-t-il en continuant à explorer son corps, caressant au passage ses seins emprisonnés dans un soutien-gorge en dentelle.

Sam fit volte-face et passa les bras autour de son cou.

— Je suis désolée de m'être comportée comme une idiote. Je ne sais pas ce qui m'a pris, dit-elle dans un souffle.

Ransom prit le visage de Sam entre ses mains et s'empara de ses lèvres avec fièvre. Elle répondit à son baiser avec passion et, quand il détourna enfin la tête, ils étaient tous deux à bout de souffle.

— Les fantômes du passé nous hantent, Sam. J'espère que nous parviendrons à les chasser définitivement ce week-end, dit-il d'une voix rauque.

Elle déglutit péniblement, la gorge serrée.

— Il ne faut plus regarder en arrière, murmura-t-elle.

— Bien ! dit-il en la libérant avec un sourire. Et maintenant, si tu montais te coucher pendant que je termine la vaisselle...

Elle sentit son estomac se contracter dans un mélange de nervosité et de jouissance anticipée.

— D'accord, dit-elle avant de quitter la cuisine et de monter l'escalier, le cœur battant.

Ses retrouvailles avec Ransom étaient un cadeau du ciel, pensa-t-elle avec une intense émotion, et elle voulait garder à tout jamais le souvenir de chaque instant passé dans ses bras...

Après avoir pris sa nuisette de soie rouge dans sa valise, Sam entra dans la salle de bains, qui abritait une énorme baignoire à pattes de lion. Etant donné l'heure tardive, elle préféra se doucher plutôt que de prendre un bain. Une fois sèche, elle enfila sa nuisette et retourna dans la chambre. Ransom était encore en bas, en train de fermer les volets pour la nuit. Elle alluma la lampe de chevet et se mit au lit.

Au même moment, elle entendit les pas de Ransom dans l'escalier. Elle retint sa respiration, le cœur battant. Il n'entra pas tout de suite dans la chambre, mais se rendit d'abord dans la salle de bains. L'eau coula quelques minutes, puis il arriva dans la chambre, ses vêtements à la main et une serviette de bain nouée très bas autour de ses hanches.

Il posa ses habits sur une chaise et jeta sa serviette avant de se glisser prestement dans le lit. Allongé sur le côté, il la contempla.

Sam sentit sa gorge se nouer et les larmes lui monter aux yeux en songeant que l'homme qu'elle aimait le plus au monde s'apprêtait à lui faire l'amour. Elle voulut parler, mais aucun son ne sortit de sa bouche.

Ransom posa un doigt sur ses lèvres comme pour les sceller.

— Il est tard et nous sommes fatigués. Nous avons toute la journée de demain pour nous deux, dit-il doucement avant de déposer un tendre baiser sur ses lèvres et d'éteindre la lumière.

Partagée entre la déception et le soulagement, Sam s'interrogea un instant sur l'attitude de Ransom avant de se dire qu'il avait raison : elle était épuisée et le week-end ne faisait que commencer.

Elle ferma les yeux et s'abandonna au sommeil.

Le lendemain matin, Sam s'étira et cligna des yeux, aveuglée par un rai de lumière qui s'infiltrait entre les pans du rideau. Incommodée, elle voulut s'écarter mais buta contre le corps de Ransom. Elle tourna la tête et rencontra ses beaux yeux gris.

— Il est temps de te réveiller, murmura-t-il d'une voix grave tout en lui caressant lentement la cuisse.

Elle frissonna et sentit le désir renaître dans son corps.

— Quelle heure est-il ? demanda-t-elle, le souffle court.

— L'heure de nous embrasser, dit-il en déposant un baiser sur son épaule nue.

Sam tendit le bras et effleura la joue de Ransom.

— Pourquoi avoir attendu que je me réveille ? lui demanda-t-elle d'une voix voilée.

— Parce que je voulais que tu sois toute à moi, répondit-il avec un petit sourire.

— Tu sais, je ne dors plus maintenant…

Elle vit ses yeux se transformer en brasier tandis qu'il glissait les mains sous sa nuisette et se frayait un chemin jusqu'à ses seins aux pointes durcies par le désir.

— Comment ne pas s'en rendre compte ? murmura-t-il d'une voix rauque tout en traçant des cercles brûlants sur sa poitrine.

Sam prit une profonde inspiration et ferma les yeux, savourant des sensations qu'elle n'avait pas éprouvées depuis si longtemps. Lorsque Ransom emprisonna ses seins entre ses mains, elle étouffa un gémissement et se cambra lascivement.

— Oh ! Ransom ! murmura-t-elle.

— Je sais, répondit-il d'une voix tendue.

Il se redressa, la déshabilla et la contempla, le regard brillant de désir.

— Tu es magnifique ! dit-il. Ça fait si longtemps que j'attends ce moment…

Il s'allongea à côté d'elle, et elle glissa les bras autour de son cou, laissant ses mains redécouvrir ses larges épaules.

— Je suis là maintenant, et je suis à toi.

— Tu n'auras pas à me le dire deux fois.

Sous la pression de ses lèvres brûlantes, Sam sentit tout son corps s'embraser, et elle gémit de plaisir quand sa langue se glissa entre ses lèvres entrouvertes.

Puis, il descendit le long de sa gorge, et elle retint son souffle tandis qu'il embrassait sa poitrine gonflée de désir. Quand il se mit à lécher et à mordiller la chair délicate de ses mamelons, elle poussa un cri de joie, emportée par une gigantesque vague de plaisir.

Sam n'avait jamais été une amante passive et lorsqu'il arrêta son exquise torture, elle lui commanda de se laisser faire. Ransom ferma les yeux et elle parcourut son corps de caresses et de baisers. Quand elle prit dans sa main son sexe dressé, il sursauta comme s'il avait reçu une décharge électrique et, tout en étouffant un juron, lutta pour maîtriser la violence de son désir.

Elle se redressa et lui fit une petit sourire.

— Je t'ai fait mal ? demanda-t-elle tout en sachant pertinemment qu'il n'en était rien.

— Bon sang ! Si tu veux que ça dure, ne recommence pas, dit-il, la respiration haletante.

— D'accord, promit-elle dans un souffle avant de s'asseoir à califourchon sur lui.

Comme elle se cambrait pour l'accueillir pleinement, Ransom gémit de plaisir et agrippa ses hanches, la maintenant immobile pendant qu'il reprenait sa respiration.

— C'est mieux ? demanda-t-elle, le cœur battant à tout rompre et le corps tremblant de désir.

Il la contempla, les yeux brûlant de fièvre.

— Mon Dieu, Samantha ! J'avais oublié à quel point tu étais excitante. C'est si bon ! Mais c'est encore mieux comme ça ! ajouta-t-il en la faisant basculer et en se remettant sur elle.

— Oui… beaucoup mieux.

Elle le retint prisonnier entre ses jambes et savoura le bonheur de se laisser posséder. Il effectuait des mouvements de va-et-vient doux et lents, lui faisant redécouvrir les tourments délicieux de l'attente. Mais au bout d'un moment, la fièvre fut la plus forte et ses assauts devinrent profonds et rapides.

Tandis que le plaisir déferlait sur elle comme un lame de fond, Sam se mit à ondoyer sous lui avec frénésie, le suppliant de lui apporter le bonheur suprême. Et leur extase culmina bientôt, foudroyante et vertigineuse, les emportant dans les plus hautes sphères de la volupté.

Epuisée par l'intensité de la jouissance, Sam sentit des larmes de joie lui picoter les yeux. Elle venait de vivre un moment de pure félicité, comme elle n'en avait plus connu depuis leur séparation. Ivre d'amour, elle se pelotonna tout contre Ransom.

Au moment où elle allait lui dire combien elle était heureuse, elle fut emportée par le sommeil.

9.

Quand Sam se réveilla, elle entendit Ransom s'affairer en bas. Tout en s'étirant voluptueusement, elle poussa un profond soupir de satisfaction. Même si elle avait gardé intact le souvenir de leurs étreintes passées, elle avait eu ce matin l'impression de faire l'amour avec Ransom pour la première fois. Merveilleusement sereine, elle sentit un sourire épanoui se dessiner sur son visage.

— Que peut bien signifier cette expression radieuse ?

Sam se redressa. Ransom se tenait dans l'embrasure de la porte, torse nu… et toujours aussi attirant.

— Oh, je réfléchissais, répondit-elle en parcourant lentement du regard son corps musclé et bronzé.

Tandis qu'il s'appuyait contre le montant de la porte, elle vit ses yeux gris briller d'un éclat intense.

— J'avais deviné. Mais à quoi ?

Sam rit doucement et tendit un bras vers lui.

— Viens ici et je te le dirai !

Il secoua la tête d'un air méfiant.

— Non, non. Je préfère rester là. Je me sens plus en sécurité.

— Tu n'es qu'une poule mouillée !

Il sourit largement.

— Je ne veux pas prendre de risque, c'est tout. Si je m'approche de toi, je sais ce qui va se passer. Il y a une casserole sur le feu et je n'ai aucune envie de provoquer un incendie.

— Tu veux dire, un vrai incendie…

Elle vit son regard s'illuminer.

— C'était plutôt torride tout à l'heure, n'est-ce pas ? demanda-t-il d'une voix grave.

— Oui…, murmura-t-elle.

Ransom poussa un soupir.

— Tu es décidément trop sexy… Je m'en vais pendant qu'il en est encore temps. Le petit déjeuner sera prêt dans dix minutes.

A son grand regret, Sam le vit quitter la pièce. Mais une fois seule, elle se rendit compte qu'elle mourait de faim.

Après s'être levée rapidement, elle se rendit à la salle de bains et, une dizaine de minutes plus tard, descendait l'escalier d'un pas alerte, les cheveux encore humides.

Quand elle entra dans la cuisine, Ransom était en train de vider le contenu d'une poêle à frire dans deux assiettes. Elle se sentit plus affamée encore en voyant le solide petit déjeuner qu'il avait préparé.

— Tu pourrais penser à ma ligne ! s'exclama-t-elle en s'installant à table.

Ransom lui adressa un large sourire.

— Crois-moi, tu es parfaite, dit-il en s'asseyant à son tour. Maintenant mange, Samantha. Tu vas avoir besoin de calories pour la grande balade qu'on va faire.

Elle obtempéra sans mot dire et songea avec un pincement au cœur qu'il l'avait appelée plusieurs fois Samantha depuis le début du week-end, comme il avait l'habitude de le faire parfois, à l'époque.

Ransom l'emmena se promener sur un chemin qui longeait le ruisseau. C'était un après-midi magnifique et la brise soufflait doucement, les rafraîchissant un peu tandis qu'ils progressaient en direction du sommet de la colline. Quand ils furent en haut, un panorama magnifique se déploya devant eux et ils s'arrêtèrent pour admirer la vue.

— On est entourés de collines. A l'ouest, tu as les Malverns et les collines noires du Pays de Galles. A l'est, ce sont les Chilterns, et plus loin on aperçoit les forêts de Dean, Wyre et Arden. C'est vraiment un endroit superbe.

Sam acquiesça en silence. Elle s'assit par terre et s'adossa contre un gros rocher, savourant la quiétude des lieux.

— Tu aimerais t'installer ici, un jour ?

— J'aimerais bien… J'espère convaincre Simon de me vendre la maison.

— Je pensais que tu préférerais vivre près de la mer.

Ransom vint s'asseoir à côté d'elle.

— Tu sais, le canal de Bristol n'est pas très loin.

— Et tu viens souvent ?

— Dès que j'ai besoin de faire le point, dit-il. La première fois, c'était il y a six ans. Et la dernière, il y a quelques jours seulement.

— Alors, tu n'étais pas à Londres ? demanda-t-elle avec étonnement.

Ransom gardait les yeux rivés sur le paysage.

— Au début oui, mais je n'arrivais pas à réfléchir. Une fois ici, j'ai pu remettre de l'ordre dans mes idées et commencer à régler mes comptes avec le passé, continua-t-il d'un ton détaché.

Sans savoir pourquoi, Sam se sentit soudain mal à l'aise.

— Tu as eu raison de venir, dit-elle. C'est tellement paisible ! Si ça t'a aidé, je suis heureuse pour toi.

Il tourna la tête vers elle.

— C'est le cas, acquiesça-t-il en souriant légèrement. J'ai réussi à comprendre beaucoup de choses. Cependant, mon envie de t'étrangler n'a pas totalement disparu !

Sam poussa un profond soupir.

— Je suis désolée pour tout.

— C'est-à-dire ?

Elle haussa les épaules.

— Disons que je regrette de t'avoir induit en erreur.

Ransom secoua la tête et rit doucement.

— Telle une illusionniste... Quand j'étais enfant, je finissais toujours par trouver le truc. C'est la preuve que l'amour rend vraiment idiot, ajouta-t-il d'un air songeur.

Sam fronça les sourcils.

— Je ne suis pas sûre de bien te comprendre.

— Ce n'est pas très grave, dit-il en s'appuyant contre le rocher, les jambes étendues.

Il passa doucement un doigt sur la bouche de Sam tout en continuant à la regarder.

— Pourquoi as-tu quitté l'Italie ? demanda-t-il soudain.

Le cœur de la jeune femme se serra. Aujourd'hui, elle savait bien que si elle avait eu envie de revenir en Angleterre, c'était pour se rapprocher de Ransom. Mais elle ne pouvait pas le lui dire...

— J'avais envie de manger du pudding. Ils n'en ont pas là-bas.

— Nous devons donc ton retour à la pâtisserie anglaise ? demanda Ransom, un sourire amusé aux lèvres.

Elle rit doucement.

— A ça et à d'autres choses... Je t'ennuierais si j'en dressais la liste.

— Tu sais bien que tu ne m'ennuies jamais. Tu m'enivres, tu m'électrises, ça oui..., dit-il en ponctuant ses paroles de petits baisers.

Sam essaya de le retenir contre ses lèvres, mais il releva la tête.

— Tu n'essaierais pas de me séduire ? demanda-t-elle en souriant.

— Je me débrouille comment ? demanda-t-il en effleurant

lentement son visage et sa gorge avant de caresser lentement ses seins.

— Très bien, répondit-elle en poussant un petit gémissement de plaisir.

— Tu ne trouves pas que j'ai perdu la main ?

— Pas du tout, murmura-t-elle. Mais pourquoi as-tu arrêté de m'embrasser ?

— Tout vient à point à qui sait attendre, répliqua-t-il avec un sourire.

Elle le regarda à travers ses paupières mi-closes.

— Ransom !

— Oui, Sam ? murmura-t-il en étouffant un rire.

Elle lui donna une petite tape sur le bras.

— Tu n'es qu'un sadique, tu le sais ?

Il haussa les épaules.

— J'ai été accusé de tellement de choses dans ma vie…

— Si tu ne veux pas que je te traite aussi d'allumeur, embrasse-moi tout de suite, lui ordonna-t-elle tout en agrippant son T-shirt et en attirant son visage vers elle.

— Eh ! Inutile d'être…, commença-t-il à protester avant qu'elle ne pose ses lèvres sur les siennes.

Ils laissèrent parler leur corps, et leurs baisers se firent de plus en plus sensuels et profonds.

Ransom s'écarta brusquement pour reprendre sa respiration et posa son front contre celui de Sam. La jeune femme ferma les yeux, essayant désespérément de recouvrer son calme.

— Ça fait longtemps qu'ils n'ont pas eu de pluie ici. On devrait s'arrêter avant d'embraser la forêt, plaisanta-t-il d'une voix tendue.

Elle gémit.

— Je suis prête à prendre le risque, proposa-t-elle en glissant les mains sous son T-shirt, avant de caresser son dos musclé.

Ransom gémit à son tour.

— C'est une offre très tentante, mais il faut être raisonnable. Et puis j'ai une meilleure idée…

Elle recula la tête pour mieux voir son visage.

— Vraiment ?

Il hocha la tête, les yeux brillant de mille feux.

— Tu as vu la taille de la baignoire ?

Sam fut aussitôt assaillie d'images érotiques.

— Elle est grande…, dit-elle d'une voix voilée.

— C'est le moins qu'on puisse dire. Et nous aurons certainement envie de prendre un bain en rentrant de notre balade.

Elle arrêta soudain ses caresses.

— J'aime la façon dont votre cerveau fonctionne, monsieur Shaw, dit-elle en se redressant.

— Ça ne m'étonne pas, répliqua-t-il en se mettant debout.

Puis il l'aida à se relever et la guida de l'autre côté de la colline.

— On ne prend pas le même chemin pour rentrer ?

Il lui adressa un grand sourire.

— Non. Je veux qu'on arrive à la maison en pleine forme. Ce sera moins fatigant par là.

Elle garda un instant le silence.

— Décidément, tu as réponse à tout…

— Oui, et il serait temps que tu t'en rendes compte, dit-il d'un air énigmatique.

Sam cligna des yeux, perplexe. Il paraissait vouloir lui faire passer un message, mais elle ne voyait pas du tout lequel… Elle dut abandonner sa réflexion pour se concentrer sur une portion escarpée du chemin.

Quelques heures plus tard, confortablement allongée dans la baignoire, Sam poussa un soupir de satisfaction. Ils venaient de faire l'amour dans le bain et elle n'oublierait pas de sitôt la tempête qu'ils avaient provoquée. Malgré les quelques serviettes qu'elle avait jetées par terre, le sol était entièrement trempé.

Sam sortit ses mains de l'eau et les examina.

— Mes doigts sont tout ridés, fit-elle doucement observer.

— Fais-moi voir ça, lui ordonna Ransom, qui était assis derrière elle.

Il tendit le bras et attrapa son poignet.

— On a dû rester trop longtemps dans l'eau, constata-t-il.

Son menton lui effleura les cheveux.

— Probablement, approuva-t-elle en mêlant ses doigts aux siens. Je crois que j'ai un peu perdu la notion du temps.

— Je me demande bien pourquoi, la taquina-t-il avant de faire courir sa main libre sur les courbes de son corps.

— Tu ne devrais pas faire ça, à moins d'être préparé à en assumer les conséquences, dit-elle d'un ton coquin en immobilisant sa main.

— Quelles conséquences ?

Elle sourit. Elle se sentait merveilleusement détendue.

— Laisse-moi réfléchir une seconde et je te le dirai.

Il se mit à rire.

— Pour ça, je te fais entièrement confiance, Samantha. En fait, je n'attends que ton signal, ajouta-t-il en lui mordillant l'oreille.

Elle sentit de délicieux frissons lui parcourir le corps.

— Je ne crois pas que tu devrais te précipiter, Ransom. Après tout, tu n'es plus aussi jeune qu'autrefois, dit-elle dans un fou rire.

— C'est très imprudent de ta part de mettre en doute ma virilité ! Je pourrais vouloir te prouver à quel point tu as tort.

— Des promesses, toujours des promesses…

— Tu souhaites vraiment être la cause d'une inondation ?

Sam se mordit la lèvre et regarda le sol avec inquiétude.

— Tu crois qu'il va y avoir des dégâts ?

— Disons qu'on serait peut-être mieux dans la chambre.

Ransom décrocha les deux peignoirs suspendus à la porte, en

enfila un et lui tendit l'autre, qu'elle passa aussitôt. Puis il la prit dans ses bras et la porta jusque dans la chambre. Au moment où il allait la poser sur le lit, l'estomac de Sam se mit à crier famine.

— Nous n'avons rien mangé depuis le petit déjeuner, lui rappela-t-elle avec un sourire charmeur.

— Et tu aimerais que je te prépare quelque chose... C'est bien ça ? demanda Ransom d'un ton sarcastique.

Elle battit des cils.

— Je saurai te prouver ma reconnaissance, dit-elle en lui décochant une œillade suggestive.

Ransom la laissa tomber sur le lit et elle poussa un petit cri de surprise avant de rebondir sur le matelas.

— Eh ! A quoi tu joues ? protesta-t-elle quand elle eut retrouvé son équilibre.

Il rit et quitta la pièce sans un mot. Allongée sur le lit, Sam fixa le plafond, un sourire aux lèvres, avant de pousser un soupir de plénitude.

Quelques minutes plus tard, elle se redressa en entendant Ransom monter l'escalier. Elle cala deux oreillers contre la tête de lit et s'installa confortablement.

Il entra dans la chambre, posa le plateau sur le lit et vint s'asseoir à côté d'elle.

— Fromage, crackers, tomates, poulet froid... et une bouteille de chardonnay bien frais, dit-il avant de leur en verser deux verres.

Sam prit une gorgée de vin.

— Il est délicieux, déclara-t-elle avant de mordre avec appétit dans un morceau de poulet.

Quand ils eurent englouti presque toutes les victuailles, Ransom écarta le plateau, remplit de nouveau leurs verres, et s'allongea confortablement. Puis, il attira Sam tout contre lui. La tête posée sur son torse puissant, la jeune femme se laissa bercer par les battements réguliers de son cœur.

— Je pourrais rester comme ça pour toujours, soupira-t-elle en respirant le parfum de sa peau, désireuse de le conserver à tout jamais dans sa mémoire.

— Moi aussi, répondit Ransom. Mais j'ai une plaidoirie lundi…

— Je refuse de parler travail, gémit Sam.

La fin du week-end… Elle ne voulait surtout pas y penser. Pas encore en tout cas…

— D'accord. Changeons de sujet, dit-il tranquillement avant de poser son verre à côté du lit. Parle-moi de ta famille…

— De ma famille ?

Que voulait-il donc savoir ? Il était peu probable qu'il soit un jour amené à rencontrer ses proches…

— Oui. Tu m'avais dit que vous étiez nombreux. Combien en tout ?

Elle prit une gorgée de vin pour se laisser le temps d'évaluer le danger qu'il pouvait y avoir à répondre.

— J'ai deux frères et deux sœurs, tous plus jeunes. Comme tu le sais déjà, mon père est à moitié italien, ce qui fait que nous avons tous le sang chaud ! La moindre étincelle suffit à mettre le feu aux poudres.

— Eh bien ! Ça a l'air très sympathique !

Elle se mit à rire.

— Crois-moi, il n'y a jamais une seconde de répit. Mais nous sommes très proches. Même les conflits nous soudent, une fois l'orage passé, reprit-elle avec enthousiasme.

— Ils sont tous mariés ?

Elle secoua la tête.

— Pas Tony.

— Dis-moi, tu n'as pas trop souffert d'être l'aînée ?

Sam haussa les épaules.

— Pas vraiment… Je m'occupais beaucoup d'eux, mais ça ne m'a jamais dérangée.

— Tu attaches beaucoup d'importance à ta famille, non ?

— Mais bien sûr ! La famille, c'est sacré !

— Et j'imagine que vous vous serrez les coudes dans les moments difficiles, dit-il en effleurant sa joue d'une douce caresse.

— Oh oui ! Toujours ! Mais il n'y en a pas eu tant que ça, s'empressa-t-elle d'ajouter, tout en songeant que le dernier remontait à six ans.

— Il doit être impossible de rester les bras croisés quand on voit un des siens souffrir, dit-il d'un air pensif.

Sam se redressa et tourna la tête vers lui.

— C'est vrai. Et si on a les moyens de l'aider, on doit le faire, déclara-t-elle avec ferveur, tout en agitant nerveusement son verre.

Ransom sourit.

— Tu me fais penser à une lionne prête à tout pour protéger ses petits, dit-il en lui prenant le verre des mains, de peur qu'elle n'en renverse le contenu sur le lit.

— Il n'y a pas de mal à ça ! fit-elle remarquer. Quand on aime quelqu'un, on doit tout faire pour lui.

— Tout cela est très beau, Sam, mais qui s'occupe de toi ? s'enquit Ransom.

Elle écarta d'un geste sa question.

— Je m'occupe très bien de moi toute seule.

— Tu ne penses donc pas que ton bonheur puisse être essentiel aux yeux de quelqu'un ? répliqua-t-il avec douceur.

Elle plissa le front.

— Pourquoi le serait-il ?

— Parce que les autres peuvent avoir des sentiments aussi forts que les tiens…

— Je n'avais jamais pensé à ça, confessa-t-elle en fronçant les sourcils.

Ransom la regarda droit dans les yeux en secouant doucement la tête.

— Tu as bon cœur Sam, mais tu ne vois pas plus loin que le bout de ton nez.

— Eh ! Tu n'as pas le droit de dire ça ! protesta-t-elle.

Il haussa les sourcils.

— Objection refusée ! Mais je n'ai pas envie qu'on se dispute. Parle-moi plutôt de ta vie en Italie…

— Il n'y a rien à dire, lui dit-elle, crispée.

Il lui sourit d'un air désolé.

— Mes questions t'ennuient ?

— Un petit peu.

— Désolé. En tout cas, tu viens de m'éclairer sur un aspect important de ta personnalité. Je sais maintenant que tu ne recules devant aucun sacrifice.

— Seulement pour les gens que j'aime, souligna-t-elle d'un ton taquin.

— Ne t'inquiète pas. J'ai bien compris le message, dit-il avant de la fixer d'un air sévère. Je n'aurai jamais droit au même traitement car tu n'as pas de sentiments pour moi. Notre relation est purement physique.

Sam sentit sa gorge se nouer.

— C'est vrai, mentit-elle sans ciller. Mais je n'hésiterais pas à t'emmener à l'hôpital si tu étais gravement blessé.

— Voilà qui est réconfortant !

Elle sourit légèrement.

— Cela dit, j'en ferais autant pour n'importe qui, ajouta-t-elle en lui prenant la main, avant de passer lentement le doigt sur les lignes de sa paume. Dommage que je ne sois pas diseuse de bonne aventure. Je pourrais te dire si ta vie va être longue.

— Il se trouve que je n'ai pas prévu de passer l'arme à gauche avant un bon moment, répliqua-t-il d'un ton ironique.

Elle lui décocha un sourire charmeur.

— Tant mieux, parce que j'ai des projets.

Il haussa les sourcils.

— Des projets ?

— Oui. Mais maintenant, assez parlé de moi. Je veux me concentrer sur toi.

Sam lâcha sa main, descendit du lit et posa le plateau par terre, près de la porte.

— Tu as besoin d'aide ? s'enquit-il en la regardant avec une lueur intriguée dans les yeux.

Sam remonta sur le lit et s'agenouilla à côté de Ransom.

— Non. J'ai simplement besoin que tu t'allonges et que tu te détendes, répondit-elle en le poussant sur le dos avant de desserrer la ceinture de son peignoir.

Il prit une profonde inspiration.

— Je ne pense pas parvenir à me détendre, souligna-t-il tandis qu'elle en écartait les pans, découvrant son corps bronzé.

Elle se mordit la lèvre pour dissimuler un sourire malicieux.

— Aurais-tu deviné mes intentions ? demanda-t-elle en descendant lentement les doigts le long de sa gorge, jusqu'à son ventre.

— Ça s'appelle anticiper, souffla-t-il, la respiration haletante, tandis qu'elle commençait à le caresser doucement.

Sam sentit son corps s'enflammer en voyant Ransom allongé devant elle, à sa merci. Après s'être débarrassée de son propre peignoir, elle se pencha sur lui et laissa ses doigts et ses lèvres courir sur sa poitrine, sur son ventre, jusqu'à ce qu'il gémisse. Puis elle descendit plus bas… Mais au moment où elle allait le soumettre à une délicieuse torture, il l'attira à lui.

— A mon tour, déclara-t-il en la faisant basculer sur le dos.

Ses lèvres glissèrent lentement sur sa poitrine offerte, s'attardant sur la pointe durcie et sensible de ses seins. Sam gémit de plaisir, s'agrippant au drap et se tendant vers lui, ivre de désir.

Alors qu'elle pensait ne pas pouvoir en supporter davantage, sa bouche et ses mains s'aventurèrent jusqu'à son ventre, avant de descendre plus bas encore. Lorsqu'il glissa une main entre ses cuisses et trouva le chemin de son intimité, elle était si prête à le recevoir qu'un petit cri étranglé s'échappa de sa gorge. Il se mit à caresser le cœur de sa féminité, attisant son désir jusqu'à ce qu'elle sombre dans un tourbillon de sensations. Comme elle était sur le point de crier son bonheur, il embrassa son sexe avec une sensualité inouïe, jouant de sa langue et de ses lèvres. Et la jouissance explosa en elle comme un feu d'artifice.

Lorsque sa respiration fut redevenue normale, Sam s'aperçut que Ransom, prenant appui sur ses avant-bras, couvrait son corps du sien et la contemplait.

— C'était ce que tu avais en tête ? demanda-t-il en effleurant ses lèvres d'un baiser.

— Je ne te le dirai pas, répondit-elle doucement.

Soudain, il plongea en elle, et elle eut le souffle coupé. Il commença à bouger très doucement et elle sentit de nouveau son corps répondre à l'invitation. Ransom la connaissait si bien… Il savait exactement ce dont elle avait besoin… Quand il accéléra la cadence, emporté par un désir qu'il ne parvenait plus à maîtriser, elle se donna à lui sans réserve, et ils furent foudroyés au même moment par un plaisir d'une intensité folle.

Finalement, Ransom se retira doucement et elle se lova tout contre lui en poussant un soupir. Alors, il l'enlaça et se mit à fixer le plafond, perdu dans ses pensées.

10.

Ils arrivèrent à Londres le dimanche soir à une heure tardive. Après s'être garé devant chez elle, Ransom coupa le moteur et Sam sentit une boule lui nouer la gorge en songeant que c'était sans doute la dernière fois qu'elle le voyait. Ces quelques jours passés ensemble avaient été magiques et elle aurait voulu qu'ils durent pour toujours. Instinctivement, elle essaya de retarder le moment de leur séparation.

— Tu veux monter prendre un café ? lui proposa-t-elle avec l'espoir de le garder dans ses bras une nuit encore.

Ransom jeta un coup d'œil sur l'horloge du tableau de bord et secoua la tête.

— Il est déjà tard et les plaidoiries commencent demain matin.

Elle aurait tellement préféré qu'il lui dise « une autre fois peut-être »…

— Ce ne serait pas très bien vu si tu t'endormais à la barre ! dit-elle pour le taquiner.

— Surtout que l'avocat général, lui, déborde d'énergie.

Sam se mit à rire.

— Je suis sûre que tu vas gagner le procès.

Un léger sourire se dessina sur le visage de Ransom.

— Ah oui ! Et comment le sais-tu ? demanda-t-il en lui remettant doucement une mèche de cheveux derrière l'oreille.

— Tu es un avocat brillant. C'est une évidence, dit-elle d'un ton solennel.

Il eut l'air un peu étonné.

— Merci pour le compliment, Sam.

— Je t'en prie…

Puis le silence s'installa et elle sentit que l'heure des adieux était venue. Ils allaient partir chacun de leur côté et jamais plus ils ne se reverraient… Soudain, elle fut envahie par une souffrance intense. Elle avait besoin de savoir s'il restait malgré tout un espoir.

— Tu penses avoir réussi à te libérer du passé ? lui demanda-t-elle sans détour.

Malgré l'obscurité, elle crut voir ses yeux scintiller.

— En tout cas, je l'espère, répondit-il d'un ton calme.

Elle hocha la tête.

— C'est bien.

— Allez ! dit-il en claquant des mains. Je t'accompagne jusqu'à ta porte.

Il descendit de voiture.

— Tu n'es pas obligé ! répondit-elle en quittant à son tour le véhicule.

Après avoir sorti sa valise du coffre, il enclencha l'alarme.

— C'est la moindre des choses. Je suis un homme galant, même si tu as parfois pu en douter.

Il monta avec elle jusqu'à son appartement, et déposa sa valise devant la porte d'entrée.

— Te voilà en sécurité !

Le cœur lourd, Sam baissa les yeux.

— Je déteste les adieux. Alors faisons vite, si tu le veux bien.

Il lui sourit légèrement.

— Que dirais-tu d'un dernier baiser en souvenir du bon vieux temps ? suggéra-t-il en avançant vers elle d'un pas.

Ransom l'enlaça et elle glissa les bras autour de son cou.

— On s'est bien amusés, n'est-ce pas ? demanda-t-elle en le regardant d'un air grave.

Elle vit une étrange lueur briller dans ses yeux.

— Sans aucun doute. Mais toutes les bonnes choses ont une fin…, dit-il avant de poser ses lèvres sur les siennes.

Elle répondit à son baiser de toute son âme, exprimant à travers cet ultime échange ce qu'elle ne pourrait jamais lui révéler : qu'il était l'homme de sa vie et qu'elle l'aimerait toujours.

Tremblante, elle s'arracha finalement à Ransom et essaya de lui adresser un sourire, mais elle échoua lamentablement. La gorge serrée par l'émotion, elle articula un brusque « au revoir » avant d'entrer dans son appartement et de verrouiller la porte derrière elle.

Cette fois, elle ne s'effondrerait pas en l'entendant s'éloigner. Elle contrôlait beaucoup mieux ses émotions que six ans auparavant. Après tout, elle avait su dès le départ que leurs retrouvailles seraient de courte durée et il ne servait à rien de pleurer sur ce qui était inéluctable…

Mais une fois dans son lit, Sam éprouva soudain l'envie irrépressible de se blottir dans les bras de Ransom et elle sut alors qu'elle se mentait à elle-même. Elle laissa libre cours à ses émotions et versa des torrents de larmes avant de s'endormir, anéantie de douleur.

Le lendemain matin, elle se réveilla épuisée. Elle se força malgré tout à se lever et à manger quelques toasts avant de se rendre à son travail. Ce jour-là comme les suivants, elle n'eut guère le temps de se lamenter sur son sort car la saison touristique battait son plein et les clients de l'hôtel ne cessaient de la solliciter. Quand la fin de la journée arrivait, elle était si fatiguée qu'elle se couchait très tôt et s'endormait, à peine la tête posée sur l'oreiller.

Quand vint le jeudi, Sam avait fini par se résigner : elle devait laisser le temps cicatriser ses blessures.

Le soir venu, elle décida de nettoyer de fond en comble son appartement et commença par enlever tous les coussins des fauteuils. Tandis qu'elle vérifiait qu'elle n'avait pas égaré d'objet dans les interstices du canapé avant d'y passer l'aspirateur, elle entendit sonner à sa porte.

Elle se dirigea à contrecœur vers l'entrée, prête à chasser rapidement l'intrus.

— Ransom ? s'écria-t-elle avec surprise en ouvrant la porte.

Elle cligna des yeux pour s'assurer que son imagination ne lui jouait pas des tours, mais il était bien là devant elle, vêtu d'un jean, d'une chemise et de baskets. Il était si séduisant qu'elle en avait le souffle coupé.

— Qu'est-ce que tu fais là ? Je ne m'attendais pas à te voir !

— Ça, j'en suis persuadé, répondit-il d'un ton peu affable.

— Je… euh… pourquoi n'es-tu pas chez toi en train de travailler tes plaidoiries ? balbutia-t-elle.

— Le procès a été ajourné. Ce qui m'a permis de régler quelques affaires avant de venir te voir. Tu comptes me laisser sur la pas de la porte ?

Sam recula machinalement pour lui permettre d'entrer.

— Qu'est-il arrivé ? Tu vas bien ? demanda-t-elle en le suivant dans le salon, qui ressemblait à un champ de bataille.

Il eut un rire étrange et se tourna vers elle, les bras croisés sur son torse.

— Pourquoi cette question ?

Sam tenta de dissimuler sa confusion en replaçant les coussins sur les fauteuils.

— Eh bien, tu es là et…

— Et tu ne vois pas pourquoi ? l'interrompit Ransom.

Elle se redressa, serrant dans ses bras un coussin.

— Non, vraiment pas…

Il secoua la tête et éclata d'un rire qui sonna faux.

— Evidemment… Tu es tellement sûre d'avoir tout compris, n'est-ce pas ?

Où diable voulait-il en venir ? songea Sam, complètement déstabilisée.

Les sourcils froncés, elle le regarda se diriger vers la fenêtre la plus proche. Il resta un long moment immobile, le dos tourné. Puis, il fit soudain volte-face.

— Alors dis-moi, d'après toi, que représente le week-end que nous avons passé ensemble ? demanda-t-il en glissant négligemment les mains dans les poches de son jean.

Sa nonchalance apparente contrastait avec son air sombre.

Pourquoi lui posait-il cette question ? C'était pourtant évident…

— Prends ton temps, reprit-il, mais je veux une réponse.

Sam eut soudain la désagréable impression d'être un témoin à la barre.

— Je suis ici chez moi, Ransom, pas au tribunal. Alors je te conseille de changer de ton, dit-elle en se plantant face à lui. De toute façon, tu connais aussi bien la réponse que moi. Nous voulions assouvir notre désir pour être ensuite libres de continuer notre vie, chacun de notre côté.

Ransom la fixa longuement d'un air grave.

— Tu penses vraiment que c'est la raison pour laquelle je t'ai demandé de m'accompagner ?

Elle plissa les yeux et garda un instant le silence.

— Je ne le pense pas, je le sais, répondit-elle d'un ton ferme.

Il fit quelques pas vers elle.

— Parce que, bien sûr, tu sais toujours ce que les autres ressentent ?

— Mais qu'est-ce que tu veux à la fin ? demanda-t-elle, exaspérée.

Elle vit ses yeux gris briller d'un étrange éclat.

— D'accord, je vais tout t'expliquer. Mais avant, j'ai une autre question. Tu n'as pas envisagé une seule seconde que tu pouvais te tromper, n'est-ce pas ?

Sa voix était tendue comme un arc et Sam resta muette d'étonnement.

— Tu es en colère, finit-elle par dire.

— Oh, non ! Pas en colère. Furieux !

Puis, il se mit à faire les cent pas dans le salon comme un lion en cage. Quand il finit par s'immobiliser, il se tourna de nouveau vers elle.

— En fait, si je ne t'aimais pas autant, je t'étranglerais avec plaisir !

Il fallut à Sam quelques secondes pour réagir.

— Tu pourrais répéter ? demanda-t-elle doucement, convaincue d'avoir mal entendu.

— J'ai dit que je t'étranglerais avec plaisir.

— Mais… il m'a semblé que tu avais dit autre chose avant…, murmura-t-elle, la gorge nouée. Tu as dit… Enfin, j'ai cru t'entendre dire que…

Ransom eut un rire ironique.

— Nous y voilà enfin ! Tu commences à douter ! Ce que j'ai dit, Sam, c'est que je t'aimais. Je n'ai jamais cessé de t'aimer et je t'aimerai toujours, dit-il d'un ton glacial.

Elle sentit ses jambes se dérober sous elle et dut s'asseoir précipitamment. Abasourdie, elle pressa les paumes de ses mains contre ses joues.

— Tu n'as pas le droit de dire ça ! implora-t-elle d'une voix étranglée.

Il leva les bras au ciel.

— Existe-t-il une loi qui interdise à Ransom Shaw d'aimer Samantha Grimaldi ?

Elle déglutit péniblement.

— Mais tu as cessé de m'aimer il y a six ans !

Ransom secoua la tête.

— Erreur ! Je t'ai haïe, mais j'ai continué à avoir des sentiments pour toi. Alors, tu vois, ton plan n'a fonctionné qu'à moitié.

— Mon… plan ? murmura-t-elle, un nœud au creux de l'estomac.

Il eut un regard amusé.

— Rien d'autre qu'un écran de fumée et des miroirs pour faire diversion. Comme les magiciens… Sauf que ton intention n'était pas de m'inciter à regarder ailleurs, mais de faire en sorte que je sois si furieux contre toi que la colère m'aveugle !

— Pourquoi aurais-je fait ça ? balbutia-t-elle.

— C'est la question que je me suis posée très récemment, quand j'ai enfin réussi à réfléchir de façon sereine, ajouta-t-il en gardant les yeux rivés sur elle. Et soudain, tout m'est apparu avec une clarté lumineuse. Tu cherchais à me protéger, comme tu le fais avec tous les êtres qui te sont chers.

Sam sentit ses joues s'empourprer. Elle avait l'impression que son cœur allait exploser. Elle fit des efforts démesurés pour rassembler ses esprits.

— Tu penses donc que j'ai menti en disant ne pas t'aimer ?

Un lueur éclaira le beau regard gris de Ransom.

— Exactement. Pour te paraphraser : « Je ne pense pas, je sais », dit-il d'un ton ferme. En dépit de ce que tu m'as affirmé à l'époque, tu m'aimais. Et tu m'aimes encore…

— Ah oui ? dit-elle dans un souffle.

— Sans l'ombre d'un doute. Alors, Sam, tu veux bien réviser tes certitudes ?

Ainsi, Ransom savait qu'elle avait menti pour le protéger. Et qu'elle l'aimait toujours… Sous le choc, Sam ferma les yeux. Quand elle les rouvrit, elle le regarda d'un air désemparé.

— Comment as-tu su ? murmura-t-elle.

— Les deux week-ends que nous avons passés ensemble m'ont ouvert les yeux. Ce que j'ai appris de toi ne cadrait pas du tout avec l'image d'une coureuse de dot sans scrupules. Avec six ans de retard, j'ai repensé au moment de notre séparation et je me suis rendu compte que tu avais complètement changé du jour au lendemain. Je me suis dit qu'il devait y avoir une bonne raison à cela, et j'ai fini par comprendre laquelle : l'amour.

Submergée par l'émotion, Sam sentit ses lèvres trembler et elle essaya en vain de retenir ses larmes.

— Que veux-tu que je te dise ? demanda-t-elle d'une voix entrecoupée de sanglots.

— Pourquoi pas la vérité ? suggéra-t-il d'un ton gentiment moqueur. Tu ne penses pas que je mérite de la connaître ?

Sam savait qu'elle n'avait plus aucune raison de continuer à lui mentir. Une boule lui serrait la gorge, l'empêchant de respirer, mais elle réussit finalement à articuler quelques mots :

— Tu as raison. Je t'aimais, Ransom, confessa-t-elle d'une voix brisée. Et je t'aime encore…

Les larmes inondaient ses joues.

— C'est tout ce que j'ai besoin de savoir pour l'instant, lui dit Ransom d'un ton bourru.

Il s'approcha d'elle et la serra tout contre lui, comme s'il craignait qu'elle ne lui échappe de nouveau.

A l'abri dans ses bras, Sam sentit son cœur se gonfler de joie. Même dans ses rêves les plus fous, elle n'aurait jamais pu imaginer qu'elle entendrait de nouveau Ransom lui dire « je t'aime ».

— Tu m'aimes vraiment ? ne put-elle s'empêcher de lui demander.

— Ça ne fait aucun doute.

Et soudain, la muraille qu'elle avait construite autour de son cœur pour se protéger s'effondra, libérant l'amour qu'elle y avait enfermé six ans plus tôt. Elle se sentait envahie par un bonheur sans limites.

— Oh, mon Dieu, je t'aime tant ! s'exclama-t-elle.

— Je sais, répondit-il d'une voix rauque avant de l'embrasser.

Ce n'était pas un baiser destiné à enflammer ses sens mais une véritable déclaration d'amour. Quand il se détacha d'elle, Sam le regarda droit dans les yeux.

— Je suis désolée de t'avoir menti, mais je peux t'assurer que j'avais les meilleures raisons du monde.

— Vraiment ? Ce n'est pourtant pas l'impression que j'ai eue à l'époque.

Elle cligna des yeux, continuant malgré tout à soutenir son regard.

— Je te le jure. Simplement, il y a encore des choses que tu ignores, des choses que je ne peux pas te dire, déclara-t-elle en se mordant la lèvre.

— Que tu ne *peux* pas ou que tu ne *veux* pas ? demanda-t-il d'un air sévère.

— Les deux, répliqua-t-elle en le fixant d'un air grave. J'en ai fait la promesse solennelle, et même si cela doit créer un fossé entre nous, je n'ai pas le droit de revenir sur ma parole !

A sa grande surprise, Ransom hocha doucement la tête.

— Je vois… Alors, laisse-moi te dire ce que je sais, suggéra-t-il avec calme.

Elle fronça les sourcils.

— Comment pourrais-tu savoir quoi que ce soit ?

— Reg Dunne.

Reg Dunne ? Ce nom ne lui disait absolument rien.

— Reg est l'homme que j'ai engagé pour obtenir des informations à propos de ce qui s'est passé il y a six ans, enchaîna Ransom. Il m'a appris que ton frère travaillait pour Grimaldi et qu'il avait brutalement quitté le pays peu de temps après notre séparation. Il a aussi découvert que ton frère était un joueur invétéré. Après avoir assemblé les pièces du puzzle, j'en suis arrivé à la conclusion que ton frère avait contracté des dettes et volé de l'argent à Leno

Grimaldi pour les rembourser. J'imagine qu'il s'est fait prendre la main dans le sac et que Leno a exigé que tu l'épouses en échange de son silence. C'est bien ce qui s'est passé, non ?

Sam était stupéfaite. Comment avait-il été capable de reconstituer toute l'histoire à partir de si peu d'éléments ?

— Je ne peux pas te répondre, murmura-t-elle tout en se s'écartant. Dieu sait pourtant que je ne veux pas te perdre une nouvelle fois ! S'il te plaît, ne me demande pas de faire un choix entre toi et la promesse que j'ai faite autrefois.

Ransom l'agrippa par l'épaule et la força à le regarder.

— Tout va bien, Sam, dit-il doucement. Je ne vais pas t'imposer de choisir parce que je pense être proche de la vérité. J'aurais tellement aimé pouvoir t'aider ! Mais ce n'était pas possible, n'est-ce pas ?

Elle eut un sourire triste.

— Je ne peux pas te le dire non plus.

Il se tut un instant, avant de l'attirer de nouveau dans ses bras.

— Tu viens de le faire, mon amour. D'une manière détournée… Mais ne t'inquiète pas, ajouta-t-il en la sentant se crisper. Tu n'as pas rompu ta promesse.

Bouleversée par la confiance qu'il lui témoignait, Sam sentit sa gorge se serrer.

— T'abandonner a été la chose la plus dure de ma vie. Je voulais faire en sorte que tu me détestes pour que tu puisses continuer à aller de l'avant. Je n'ai jamais voulu te blesser…

Il posa un doigt sur ses lèvres pour l'interrompre.

— Je sais que tu as agi avec les meilleures intentions du monde et que tu as autant souffert que moi. Cela dit, si tu oses me refaire une chose pareille, je décline toute responsabilité en cas de malheur, dit-il d'un ton taquin.

Elle sentit son cœur faire un bond dans sa poitrine, puis se mettre à battre follement quand ses yeux se posèrent sur le beau regard pétillant de vie de Ransom.

— Tu veux dire que nous avons un avenir ensemble ? demanda-t-elle d'une petite voix.

Il haussa les sourcils d'un air de défi.

— Qu'est-ce qui te fait en douter ?

Sam se mordit la lèvre. Elle voulait y croire, mais c'était difficile après le mal qu'elle lui avait fait.

— Comment peux-tu me pardonner ?

Il rit doucement.

— N'oublie pas que je t'aime. Et puis, je t'ai menti moi aussi.

— Vraiment ?

Il la regarda d'un air honteux.

— Je t'ai dit que je n'étais pas attaché à toi, que c'était juste une histoire de sexe, mais rien n'était vrai. Seulement, j'avais besoin de savoir ce que tu ressentais pour moi. Après tout, tu avais rejeté ma *première* demande en mariage, lui rappela Ransom d'un ton légèrement railleur.

— Tu comptes donc me demander de nouveau de t'épouser ?

— Disons que cela m'est passé par la tête…

Légèrement euphorique, Sam posa la tête sur son épaule.

— Et si tu me le demandais, il se pourrait bien que j'accepte, tu sais… Mais j'ai besoin que tu m'expliques quelque chose auparavant. S'il ne s'agissait pas que de sexe, pourquoi avoir autant insisté pour que nous fassions l'amour ?

— Parce que j'avais attendu trop longtemps. Je n'en pouvais plus, admit-il avant de pousser un soupir. Quand je t'ai revue chez les Hunt, j'ai été frappée par l'intensité de mes sentiments pour toi, et mon premier réflexe a été de me protéger. Je voyais en toi la femme qui m'avait trahi et abandonné.

Sam passa un bras autour de son cou et lui caressa doucement la nuque.

— Je comprends.

Il déposa un baiser dans ses cheveux.

— J'ai donc cherché à brouiller les pistes. Quand je me suis rendu compte que tu ne courais pas après Alex et que tu dépensais du temps et de l'argent pour aider les autres, j'ai commencé à réfléchir. S'il existait une chance que tu m'aimes encore, alors il me fallait absolument te reconquérir.

Elle leva le tête vers lui.

— Tu as vraiment bien caché ton jeu !

Il haussa les épaules.

— Comme je te l'ai déjà dit, en amour tous les coups sont permis. Je voulais des réponses et je les ai eues.

— Voilà pourquoi tu n'as pas cessé de m'assaillir de questions ! Mon Dieu, mais tu es un être diabolique !

— Ce qui est loin d'être ton cas. Ça fait donc un équilibre, répliqua-t-il avec un sourire malicieux. Je t'ai laissée attendre pendant que je menais l'enquête, et une fois que j'ai eu assez d'informations pour me faire mon opinion, j'ai décidé de venir te voir.

Ransom prit le visage de Sam entre ses mains et la regarda droit dans les yeux.

— J'étais furieux et peiné que tu ne m'aies pas demandé de t'aider… Sam, tu dois me promettre que tu n'hésiteras pas à me parler si tu rencontres de nouveau un problème. Il n'y a rien que nous ne puissions affronter ensemble.

— Je te le promets.

Elle vit un doux sourire se dessiner sur ses lèvres.

— Alors, vas-tu accepter de m'épouser cette fois-ci ?

Sam leva la tête vers lui et le regarda à travers ses yeux mi-clos.

— Tu me laisses un peu de temps pour y réfléchir ?

Ransom secoua la tête avec véhémence.

— Ecoute, Sam. J'ai attendu six ans et je ne veux plus patienter, même pas une seconde.

Elle lui sourit, le cœur débordant d'amour.

— Je t'aime, Ransom Shaw, et je veux t'épouser dès que possible. Après tout, j'ai six années à rattraper…

Il lui sourit à son tour et l'attira dans ses bras.

— Puisqu'il est question de rattraper le temps perdu, allons dans la chambre, suggéra-t-il d'une voix rauque.

— Oh, oui…, soupira Sam en glissant les bras autour de son cou. Fais-moi l'amour…

Le nouveau visage de la collection Or

AMOURS D'AUJOURD'HUI

Afin de mieux exprimer sa modernité et de vous séduire encore davantage, votre collection Or a changé de couverture et de nom depuis le 1er mars 1995.

Rassurez-vous, les romans, eux, ne changent pas, et vous pourrez retrouver dans la collection **Amours d'Aujourd'hui** tous vos auteurs préférés.

Comme chaque mois, en effet, vous y attendent des héros d'aujourd'hui, aux prises avec des passions fortes et des situations difficiles...

COLLECTION AMOURS D'AUJOURD'HUI :

Quand l'amour guérit des blessures de la vie...

LE FORUM DES LECTEURS ET LECTRICES

CHERS(ES) LECTEURS ET LECTRICES,

VOUS NOUS ETES FIDÈLES DEPUIS LONGTEMPS?

VOUS VENEZ DE FAIRE NOTRE CONNAISSANCE?

SI VOUS AVEZ DES COMMENTAIRES, DES CRITIQUES À FORMULER, DES SUGGESTIONS À OFFRIR, N'HÉSITEZ PAS... ÉCRIVEZ-NOUS À:

LES ENTERPRISES HARLEQUIN LTÉE.
498 RUE ODILE
FABREVILLE, LAVAL, QUÉBEC.
H7R 5X1

C'EST AVEC VOS PRÉCIEUX COMMENTAIRES QUE NOUS ALLONS POUVOIR MIEUX VOUS SERVIR.

DE PLUS, SI VOUS DÉSIREZ RECEVOIR UNE OU PLUSIEURS DE VOS SÉRIES HARLEQUIN PRÉFÉRÉE(S) À VOTRE DOMICILE, NE TARDEZ PAS À CONTACTER LE SERVICE D'ABONNEMENT; EN APPELANT AU (514) 875-4444 (RÉGION DE MONTRÉAL) OU 1-800-667-4444 (EXTÉRIEUR DE MONTRÉAL) OU TÉLÉCOPIEUR (514) 523-4444 OU COURRIER ELECTRONIQUE: AQCOURRIER@ABONNEMENT.QC.CA OU EN ÉCRIVANT À:

ABONNEMENT QUÉBEC
525 RUE LOUIS-PASTEUR
BOUCHERVILLE, QUÉBEC
J4B 8E7

MERCI, À L'AVANCE, DE VOTRE COOPÉRATION.

BONNE LECTURE.

HARLEQUIN.

VOTRE PASSEPORT POUR LE MONDE DE L'AMOUR.

COLLECTION HORIZON

Des histoires d'amour romantiques qui vous mènent au bout du monde!

Découvrez la passion et les vives émotions qu'apportent à la Collection Horizon des auteurs de renommée internationale!

Captivantes, voire irrésistibles, ces histoires d'amour vous iront assurément droit au coeur.

Surveillez nos trois nouveaux titres chaque mois!

Composé et édité par les
éditions Harlequin
Achevé d'imprimer en novembre 2006

à Saint-Amand-Montrond (Cher)
Dépôt légal : décembre 2006
N° d'imprimeur : 62089 — N° d'éditeur : 12501

Imprimé en France